世纪中国论坛典藏文库

权力与繁荣

Power and Prosperity

Mancur Olson
[美]曼瑟·奥尔森 著　苏长和　嵇飞 译

上海人民出版社

出版说明

出版作为人类思想和智慧的凝结，集聚了发明创造和社会实践的经验与成果，推动了人类文明进步。飞速发展的数字和互联网技术并未削弱出版业的这一功能，反而前所未有地促进了其创新发展。

长期以来，上海世纪出版集团始终以弘扬主旋律、引领学术思潮、关注时代命题为己任，并围绕中国发展的重大事件、重大战略决策和重大理论问题举办“世纪中国论坛”。结合2016年“世纪中国论坛”，上海世纪出版集团融合移动端、语音端等新技术，以纸电一体同步发布的方式隆重推出《世纪中国论坛典藏文库》，实现了出版方式与互联网、新技术、新模式的融合发展，表达了出版人在奉献好书的同时，努力践行社会责任、文化理想的使命追求。

《世纪中国论坛典藏文库》聚焦中国经济的长期增长主题，荟萃了诺贝尔经济学奖得主、熊彼特奖得主和中国经济学杰出贡献奖得主等中外著名经济学家的扛鼎之作，著译并重，经典闪耀。

著名经济史学家安格斯·麦迪森早在1998年出版的《中国经济的长期表现》英文版中就预言，中国可能在2015年成长为世界最大的经济体，从而恢复它在1890年之前所享有的世界经济地位。2014年，在《中国的奇迹：发展战略与经济改革》出版20周年之际，经济学家林毅夫在为图书新版撰写的长篇序言中特别指出：“出乎主流经济学界预料之外的是，中国经济在此书出版后20年却基本沿着我们在书中所预测的增长轨迹前进。”

然而，中国经济自2012年增速明显减慢，国内生产总值（GDP）增长率一直处于下行趋势。经济学家们所预言的奇迹或增长赖以产生的基础是否改变？对于未来，我们是否还有足够的信心？

首届中国经济学杰出贡献奖得主吴敬琏在专著《中国增长模式抉择》第一版（2005年）中，就指出了转型、结构调整不能取得成效的很多具体原因，归结到一点，就是存在体制性障碍，核心内容就是政府仍然在资源配置中起决定性的作用，抑制或排除了市场的作用。他在第四版的序言中写道：“中国在21世纪面对着两个必须解决的问题，一个是体制改革，一个是发展转型。”

无独有偶，中国经济改革研究的先驱巴里·诺顿在《中国经济：转型与增长》一书中，全面描述和评价了1949年以来的中国经济，并把中国的制度转型放在经济增长的大框架里论述，既突出了转型对中国经济增长的必要性，也突出了转型对中国经济增长的促进作用。

显然，制度转型不可能一蹴而就。诺奖得主道格拉斯·诺思和斯坦福大学教授青木昌彦在各自的经典作品《制度、制度变迁与经济绩效》与《比较制度分析》中，分别从东西方的不同视角阐释了制度的内涵，揭示了制度在经济发展和绩效中的作用。

公共选择理论的奠基者曼瑟·奥尔森的遗著《权力与繁荣》则提出了“强化市场型政府”这一分析经济增长的前沿性概念，为金融危机后的亚洲以及其他发展中国家的治理演变和经济政策提供了有用的分析框架。

对于那场起始于亚洲的金融危机，沈联涛用《十年轮回：从亚洲到全球的金融危机》一书进行了详细的解剖，并警示我们2017年可能发生的另一场全球金融危机。对于可能引发危机的高杠杆问题，瑞典的邓达德等在《新国富论：撬动隐秘的国家公共财富》一书中给出了全新的解决方案，并因此被《经济学人》和《金融时报》推荐为2015年度图书。

根据“十三五”规划的蓝图，中国经济将保持中高速增长，到2020年国内生产总值和城乡居民人均收入比2010年翻一番。2015年11月，习近平总书记提出要着力加强供给侧结构性改革，这是实现收入翻番的必由之路，其目标就是通过消除生产要素供给能力和配置效率以及全要素生产率提高的体制性障碍，消除经济运行中不平衡、不协调、不可持续的因素，一方面挖掘传统增长动能的潜力，另一方面开启新的可持续增长动能，最终实现经济增长方式的转变。正如习近平总书记指出的：“中国共产党人和中国人民完全有信心为人类对更好社会制度的探索提供中国方案。”我们将以出版更多的精品力作传播道路自信、理论自信、制度自信和文化自信，为实现中华民族伟大复兴的中国梦作出贡献。

《世纪中国论坛典藏文库》编委会

2016年7月

强化市场型政府乃经济发展之根本

上海人民出版社的范蔚文先生日前打电话来，希望我能为奥尔森教授的《权力与繁荣》一书写一篇导读。老实讲，对此我很犹豫，因为关于奥尔森的文章，我先后写过几篇，其中的一篇还特别提及奥尔森和他的这部遗作。令我犹豫的另一个原因是，奥尔森在马里兰大学的同事查尔斯·卡德韦尔已经为此书写了一篇序言。在序中，卡德韦尔概述了本书的核心观点，点明了作者的方法论，总结了奥尔森整个学术生涯的精华。我如果再去重复，总觉得有画蛇添足之嫌。后来我之所以没有婉拒，除了受到热情邀请之外，还在于我觉得有一种义务在这里进一步谈谈我对奥尔森教授理论的理解。毕竟在马里兰，我在他的指导下阅读、思考了一年。

社会科学研究，我以为大致可归结为三大类问题：其一是人与人之间的关系问题；其二是个人与政府之间的关系问题；其三是政府与政府之间的关系问题。前者涉及生产和分配过程中个人之间的合作与竞争。与之相关的概念有：分工、交易、企业、市场、契约、外部性等。中者关心组织社会的基本原则和如何恰当地规范政府行为以有效地保障个人权利。与之相关的概念是:财产权利、利益集团、政府管制、合法性、公共产品等。后者注重一国内部不同层次政府之间和各国政府之间的博弈。与之相关的概念包括:共容利益、主权、国家兴衰等。毋庸讳言,上述三大类问题在许多地方又是相互交叉、彼此重叠的。在现实生活中,人与人之间的关系在很大程度上是由政府行为来界定的,而某国政府的行为在一个全球化的世界中日益受到他国政府行为的制约。至于集大成者,如果存在的话,奥尔森的政治经济学可算一支。

政治学的核心范畴为权力,经济学的核心命题为国民财富之性质和原因的研究,亦即探寻繁荣的本源。繁荣来自人均收入的持续增长,后者源于每个人的劳动创造和巨大潜在的得自贸易之收益的实现;以上又导因于分工与交易的深度与广度,而后者又滥觞于个人权利、特别是财产权利受到保护的程度;能够实施有效权利保障的唯有政府,因为只有政府才拥有垄断性的强制权力或暴力;鉴于政府既由人组成又不可避免地受到某些个人或集团的影响,故它同时又是个人权利受到侵犯的最大威胁;凡是协调好政府强权和个人权利保障之间关系的国家,便会走向繁荣,反之则衰败;繁荣与衰败在国家林立的国际环境中方会凸显其意义;由此,经济上繁荣与否的问题便转换成了政治权力形成与运用是否得当的问题。权力与繁荣,或更具体、更极端地说,权力先于繁荣,或强制性规则先于自愿交换,或政府决定增长(因为没有政府,个人权利便无从谈起),乃贯穿奥尔森政治经济学始终的逻辑脉络。

强烈的问题意识和以问题为导向的研究,难以遏制的别出心裁加以解释的冲动,使奥尔森独秀于经济学家之林。概言之,奥尔森提了三个看似平常、实则重大的问题:为什么对每一个人都有利的集体行动常常难以实现?国家兴衰的根本原因何在?同样是市场经济国家,为何有些经济繁荣而另外一些却遭受贫困?《集体行动的逻辑》(1965)一书可以说是他对第一个问题的回答,并在回答过程中奥尔森开创了与其名字紧密联系在一起的"集体行动经济学"。群体规模、搭便车、选择性刺激等范畴业已广泛地应用于经济分析之中。《国家的兴衰》(1982)则是他运用集体行动理论来解释国家之繁荣与萧条历史现象的一次成功尝试,同时他还进一步丰富了一些极有价值之概念或命题的内容,比如共容利益(encompassing interests)、分利集团以及个人理性并非集体理性的充分条件等。《权力与繁荣》(2000)通过引入政府权力于经济增长分析之中,说明了国家权力与私人权利(或政府与市场)之间的相互关系决定了繁荣程度。

这里需要特别感谢卡德韦尔教授。正是从他为《权力与繁荣》所撰写的序言中,我们得知在1997年秋天,也就是因心脏病突发而去世前的四个多月,奥尔森主持召开了一次讨论会。也恰恰是在这次会议的发言中,奥尔森创造了一个可以高度浓缩其长期增长理论的重要概念:强化市场型政府(market-augmenting government)。一个政府如果有足够的权力去创造和保护个人的财产权利、并且能够强制执行各种契约,与此同时,它还受到约束而无法剥夺或侵犯私人权利,那么这个政府便是一个"强化市场型政府"。尽管这个概念没有来得及添加进这部著作的草稿中,但我们还是可以清晰地看到它逐步形成的轨迹。奥尔森在书稿中反复且多角度论证说,经济成功有两个必要条件:第一,存在可靠且明确界定的财产权利和公正的契约执行权利;第二,不存在任何形式的强取豪夺。话说到此,"强化市场型政府"便呼之欲出了。

强化市场型政府设立的目标,在于获得所有潜在的得自贸易的收益。为此就必须建立一套法律体系和政治秩序来强制执行合同或抵押协议,提供负有有限责任的公司制度安排,并且保障资本市场长期、稳定及有效的运转。在这里,财产权利、契约权利以及由此催生的资本市场,便成为区分市场强化程度之"色谱"的尺度,其两端分别为产权高度密集型和产权高度粗放型,各国的经济也就可以依此被划分成不同的类型。显而易见,为创新提供必要资本支持的金融市场属于高度契约密集型产业,因而对强化市场型政府的依赖性特别高。当把贸易领域和生产领域联系起来考察时,我们还会发现一个有趣的现象:产权密集型的经济通常对应的是资本密集型经济。其背后的逻辑十分简单,如果机器或工厂总是面临着被没收或充公的风险,人们就不愿意从事资本密集型生产。这也顺带解释了在“产权—资本粗放型”经济中,往往是那些具有自我保护性质的产业比较发达,比如人力资本密集的手工业和种植业。

在实现了权力与繁荣的“对应化”或“因果化”之后,随之而来的问题便是:“强化市场型政府”产生的逻辑或条件是什么?这里我们必须稍微深入讨论一下奥尔森首创的那个基本而意义重大的概念:共容利益。某位理性地追求自身利益的个人或某个拥有相当凝聚力和纪律的组织,如果能够获得特定社会总产出增长额中相当大的部分,同时会因该社会产出的减少而遭受极大的损失,则他们在此社会中便拥有了共容利益。共容利益给所涉及的人以刺激,诱使或迫使他们关心全社会的长期稳定增长。与之相对的是拥有“狭隘利益”的个人或组织。鉴于它们只能享有或丧失社会产出增减量中的微不足道的部分,故他们对增加社会产出毫无兴趣,而仅热衷于再分配以寻求该社会产出的更大份额,甚至不惜损害社会福利。依据这样的逻辑,只要存在共容利益,即使是早在封建君主专制国家,统治者都会尽可能地保护个人权利,按照最优税率税则对其臣民征税,而不会竭泽而渔,以避免损害其收入长期最大化的目标。

经过这种转换,强化市场型政府的产生条件,也就等价于如何使政府或执政者具有共容利益的条件。对此奥尔森的回答是:民主政体,或至少是代议制政体。注意,奥尔森谈论的民主,其核心或本质不在于它是否赋予普遍公民选举权,而在于它是否保证了政府产生于自由的政治竞争过程,从而确保拥有共容利益的精英掌握政治领导权。他的这一思想倾向,与熊彼特在《资本主义、社会主义与民主》(1942)中所持的立场如出一辙:政治的民主原则,即应该从争取选票的竞争性斗争中产生出来;民主就是政治家的统治,人民总是可以被定义弄得他们像是在统治;除了在某种程度上保证了言论和出版自由之外,民主和自由就没什么关系了。尤为令人深思的是,对民主有类似想法的人远不止熊彼特和奥尔森。譬如,早在1926年,20世纪最重要的政治学家之一卡尔·施密特就曾写过一篇题为《论议会制和民主制的抵牾》的文章(载其《政治的浪漫派》)。他说,所有人作为人的平等,不是民主,而是某种类型的自由主义;让最优秀最有能力的政治精英掌握政治领导权并承担公共事务,才是议会民主制的本质。

那么历史上和逻辑上的民主政体又究竟是如何起源的呢?换言之,由一个封建专制君主取代另一个封建专制君主的"常规"何以被打破呢?奥尔森的回答简洁而睿智:某种特殊情况的出现,或曰偶然性。当那些促使封建专制王权垮台数量不多的人物、家族或集团之间的权力出现了平衡时,也就是说当没有任何个人或集团能够强大到使自己成为新的封建专制者时,民主政体也就有了可能。这一逻辑成立的另外一个必要条件是,不管是由于地理的还是其他幸运的环境因素,这个民主政体能够免遭周边国家的征服。许多历史和归纳研究证明,英国和美国等一些代议民主制的"自发产生",便与上层权力的多元、平等分配和领土安全密切相关。虽然奥尔森在参考文献中没有提到英国剑桥大学的著名历史学家阿克顿勋爵,但从其著述的字里行间之中,我们还是不难发现阿克顿的影子。在《法国大革命讲稿》(1910)中,阿克顿反复地表达过他对"自由政体"的理解:政治科学强烈要求,必须靠多元和分立来操纵权力。

本书的一个辅助性的、但同时却是有趣的观点,是奥尔森对所谓"科斯定理"的批判和拓展。在他看来,科斯理论的核心在于交易成本和自愿交换,其基本结论是人们会为了实现他们的共同利益而采取集体行动。对此奥尔森评价说,"科斯定理"(亦即在交易成本为零时,个人理性可以通向集体理性)仅仅适用于集体规模很小的情况。一旦集团成员足够多,即使交易成本为零,其成员也不会受到激励去为集体产品的提供做出贡献,因为这时搭便车的潜在收益相对会更高。再者,科斯的理论只注意到理性的自利会使自愿交换产生互利结果,却忽略了理性的自利也会引导人们用手中的权力强迫别人就范的可能性。恰恰是后者才是解释政府的不同类型——强化市场型政府还是作为其对立面的政府——的有效工具或途径。还有,源于自愿交换之收益的最终实现有赖于契约的执行,而"契约如果没有剑作保证则等于一纸空文"(霍布斯语)。有鉴于此,奥尔森把强化市场型政府视为一种降低交易成本的制度设计。

关于发展中国家，奥尔森的逻辑结论认为，其落后的最大挑战不在于资源或资本匮乏，而在于它们很难组织起大规模的分工、交换等市场活动，特别是高质量的政府活动。相对于发达国家而言，他发现发展中国家政府发挥的作用是比较小的。这一结论对于身处从计划经济向市场经济过渡进程之国家的读者而言，初听来多少有些振聋发聩。但在知晓了奥尔森所青睐的是强化市场型政府之后，我们便可以依据如下三个指标对政府之功能加以比较：规模，结构，方式。仅就规模而言，发展中国家的政府普遍逊色于发达国家，这至少可以从政府雇员数量之众多和干预领域之广阔上得到反映。但就结构来看，我们不难发现，发达国家和发展中国家之政府重点发挥作用的领域和力度往往大相径庭，其关键差别集中体现在保护个人权利不受他人或政府本身的侵犯上。要知道，人类生产的一个悲剧性原理在于：毁灭容易创造难，正如积长年心血建成的大厦会以一根火柴的代价而毁于一旦。在这里，强化市场型政府存在的意义又一次凸显出来。至于方式，则既涉及组织分工的原则和执行原则的手段，还与政府权力来源有关。

个人权利得到最有效保护的国家同时也是拥有最高人均收入的国家，或者说，当今世界大部分国家人均收入水平低下是因为它们缺乏可靠的个人权利，构成了奥尔森在本书中得出的一个基本结论。当今世界的现实应该讲与这种判断相当吻合。但作为发展中国家的读者，我们很自然地会提出这样的问题：损害个人权利的掠夺行径，不仅来自封建专制政府或君主的无端没收和无政府状态下随处可见的侵权，也来自国家间的野蛮掠夺，其中也包括那些源自不合理的政治经济秩序的“文明”盘剥。昔日残暴的殖民者今天摇身一变都成了世界上最富裕的国家，这和它们现在都是最为“尊重权利”的国家一样，恐怕也并非出于历史的巧合。对这个近似于“鸡”与“蛋”的、同时也是事关重大的问题，奥尔森在书中予以回避了。他究竟是有意还是无意如此，我们已无从知晓了。

对奥尔森的主要批评之一是针对他那简化和一以贯之的分析模型。有些人称他为“理论单一”的思想家，即总是用一种简单模型回答所有重大且复杂的问题。其实，这恰恰是奥尔森之所以是奥尔森而非其他经济学家的根本所在，也是他毕生所追求的学术目标。奥尔森终身恪守如下的学术研究信条："正如伟大的斗士总是力求刺中敌手的颈动脉那样，伟大的科学家总在寻找能够取得突破和具有强烈诉求的问题。故我以为，探求那些重大和高度简化的命题是一种很好的研究战略。在我的学术生涯中我自认为一直是这样做的。当然这也是我唯一想做的事。"对此肯尼思·阿罗评价说，奥尔森凭借简单模型对重大命题所做的解释，大都很能说明问题；奥尔森去世之所以是经济学界的一大损失，就在于他与众不同，而其他经济学家大都相去不远。虽说他的思想形成有许多不同的来源，但我感觉奥尔森心目中的精神英雄是达尔文。他在多种场合都表达过对达尔文的敬意，因为达尔文的进化论简洁、解释力强、而且覆盖面广阔。

奥尔森于 1998 年 2 月 18 日因心脏病突发去世。两周后《经济学家》杂志便发表了讣告，并在其遗像下配了一行说明词，把他称为"利益集团的鞭挞者"。该文在结尾处还做了一个合理的猜测：如果奥尔森仍然健在，那么他的集体行动理论，尽管不是完全没有争议，却很可能把他送上诺贝尔经济学奖的领奖台。在奥尔森去世两周年之际，《经济学家》杂志又发表专文，评介他的遗著《权力与繁荣》。该文的结束语是这样写的："奥尔森是不可替代的，但有这样一部杰作对我们来说也算是一种安慰了。"三年前我阅读此书时便产生了把它翻译成中文的念头。后来我一边让我的学生李增刚翻译，一边联系出版社。当完成翻译、经济科学出版社也表示愿意出版时，我却得知该书的中文版权已经被颇具慧眼的上海人民出版社买走。虽不无遗憾，但毕竟中国读者可以看到这部非常值得一读的著作了。当然，作为美国经济学教授，奥尔森的某些思想倾向、学术观点和秉承的理论传统，和当今中国的主导思想或观念还是有相当距离的，有些甚至是截然相反的。因此在阅读此书时，我们还须以了解、批判、借鉴的眼光对待之。

张宇燕

2004 年 12 月 30 日

序

几个世纪以来，人们一直思考着权力如何与繁荣相关的问题。其实，早在1340年左右，意大利的城市国家斯伊纳(Siena)共和国的领导人就委托艺术家创造了两幅壁画，壁画的主题就直接涉及这个问题。由安布鲁吉奥·劳伦扎蒂(Ambrogio Lorenzetti)创造的这两幅壁画，占据了整个斯伊纳九人统治委员会的议事厅，壁画的题目分别是《坏政府的寓言》和《好政府的寓言》。壁画为奥尔森在《权力与繁荣》一书中所要探讨的问题，提供了一个早期的而又简化的看法。

在劳伦扎蒂的壁画中，坏政府是由一位暴君的肖像所代表的，他坐在断壁残垣前，主持邪恶堕落的政务：残暴、背信、欺骗、狂躁、分裂、好战、贪婪、骄傲以及虚荣如此等等。围绕着暴君形象的是各种各样的掠夺行为，例如战争、犯罪和对正义的践踏，它们均以中世纪公共艺术特有的戏剧和服饰表达手法表现出来。相反，在墙的右边，有个共同的善的形象，主持着诸如以智慧、和平、正义、信念、仁慈、高尚以及和谐为代表的好政府的事务。[1]《好政府的寓言》里面的人物形象分成值得注意的两组。一组是士兵与囚犯，而他们的左边则是一群政务官员。这两个次要场景涉及的主题在奥尔森的书中得到特别的注意，其核心问题就是权力的运用及在这一运用过程中市民的作用。

与好政府的壁画相联的是两个画面，即好的城市和好的国家。这两幅画面展示了在成功的治理安排下出现的繁荣景象。在好国家的壁画中，农民在富足的土地上忙碌着，毛驴载着谷物在小山上悠闲地走着，它们的目的地则是好城市壁画中繁忙的市场。好城市周围则是载歌载舞的人们，街上热闹非凡，建筑物富丽堂皇。这些壁画对展示当时斯伊纳共和国内部的治理状态很有意义，但是委托做这些壁画的政权在1355年由于瘟疫和查理四世的外部威胁以及其内部的利益纷争而崩溃了。斯伊纳的发展立刻停顿了，但是它为我们保存了一个很丰富的中世纪生活的博物馆，同时向我们揭示了善治的脆弱性。

在这些壁画之后的636年，一位新闻记者的问题促使奥尔森去追问为什么在坏政府崩溃以后不会出现经济繁荣呢？劳伦扎蒂用壁画回答了这个问题，而奥尔森则以经济学学科的训练与理论创新，用一生的时间在追问公共与私人繁荣的根源。本书就是奥尔森对这些问题的一个回答。

奥尔森认为经济成功要有两个必要条件。一是要有对所有人都稳定的且界定清晰的财产权利和公正的契约执行权利，另外一个必要条件是没有掠夺行为。他注意到，这些条件以及由之而来的最好的经济效果，在那些制度能够使权威性的决策服从全局而不是狭隘利益，以及权利得到完全尊重的民主国家中，出现的可靠性最大。奥尔森指出，这些制度安排揭示了政府经济增长的类型。在小集团或者孤立的市场中，可能有契约的强制执行以及财产体制，而需要增长的复杂市场的发展则不能没有政府。没有民主政治制度的约束，就很难发展可信的财产或者契约执行体制。

奥尔森在对这个结论的研究中，予以苏联及其后继国家特别的关注。但是这个结论同样适用于许多还没有达到经济繁荣的地方。就如劳伦扎蒂的壁画所清晰表达的，奥尔森看到了壁画背后的东西，因而去问为什么有些政府能够提供支持市场成长的公共物品而有些政府则抑制了繁荣的出现。

劳伦扎蒂壁画中内容的反差涉及的其实是治理的结果问题，但是关于后共产主义的辩论常常把国家与市场看作是不能比较而不是互相补充的两个东西。这种观点对历史上反市场的苏联来说也许是可以理解的。但是奥尔森指出，它对我们理解那些国家在促进繁荣过程中起到重要作用的地方却是没有帮助的。

后共产主义国家经济崩溃程度的差异，以及经济恢复速度的不同，与国家的强度以及国家如何运用权力有很大的关系。外部投资和国内投资的水平，新兴私有公司的增长以及其他转轨措施的运用，取决于国家提供基础制度以及克制自己掠夺行为这些因素。如果法院不能可靠地执行合约，或者法官不能强制执行合约，或者国家及其官员与私人投资纠缠在一起，那么国家就是短命的。虽然这个普遍的结论很容易就能做出来，但是奥尔森对政权的类型以及治理与影响增长的制度之间互动的特殊性还是给予了非常缜密的分析。

在写完本书的草稿之后，奥尔森创造了一个概括何种政府可以获得繁荣的词语。他认为，一个政府，如果有足够的权力去创造和保护私有产权并去强制执行合约，而且受到约束不去剥夺这些个人权利，那么这样的政府就是“强化市场型政府”(market-augmenting government)。如何提供强化市场型的制度安排确实是个包罗万象的问题，例如，从适当的法院和合约执行，到政府财政活动的管制或者教育的开放，等等。奥尔森的强化市场型政府所强调的这些问题确实是现在许多国家所面临的重要问题。

在经济活动中能够说明强化市场型政府重要性的一个特殊例子是资本和信用市场，这些市场对制度的敏感性引起了奥尔森的注意。奥尔森问道：为什么在许多国家，技术和制度允许成万亿美元的资金跨国界流动而在国家之内金融资本的流动量则非常小？当然，银行和银行管制的信息，以及资本市场运行的信息是完全公开的，而且实际上世界上最贫困的国家也能够得到这些信息（大量的美元被捐助于专家和地方官员的培训，以帮助他们掌握更充分的资本和信用市场方面的知识）。就如奥尔森对其同事所指出的：

> 在最繁荣的国家，资本市场、保险以及衍生产品和期货贸易量是如此之大和重要，以及资本的密集性和大规模的公司生产是如此广泛，以致这些国家的政府必须创造更多的市场而不是压制或者取代市场。这些政府的全部影响显然在于增加从市场以及贸易中获益的范围。为什么一定要是政府呢？……有自由至上主义倾向的学者们有时认为合约可以在私人意义上得到强制执行。但是我们知道，实际上，通过引入竞争性的机构，通过私人手段来强制执行财产权利这样的办法会引起冲突。其实，依靠私人强制机构履行合约的经济甚至可能会失去使空间场所市场（spot market）赖以存在的和平秩序……繁荣的经济需要强化市场型政府的存在。[②]

奥尔森在生命最后的几周时间将观察集中到1997年印度尼西亚、韩国、泰国和马来西亚的金融危机问题上。当然，已经有很多的文献描述了引起这次金融崩溃事件的原因，[③]但是，有一个重要的事实就是，我们确实可以在奥尔森所强调的强化市场型政府中发现其在金融崩溃深度上的差异以及这些经济体恢复步伐上的不同。[④]

得出政府可以在扩大或者强化市场上发挥关键作用这样的结论，使我们面临更进一步的挑战。即使我们可以清楚地思考到底什么是强化市场型政府，但是你又该如何对此了解更多呢？从某些方面看，奥尔森所认为的尊重权利的民主国家不会去采取掠夺性的政策，并且能够提供稳定的个人权利，这可以使我们首先不必去争论到底怎样才能获得一个尊重权利的民主国家这样的问题。当今成功的国家所采用的各种方法并没有向今天的改革家们提供很多我们本来希望的特殊指导方法。同时，奥尔森常常指出，各种各样成功增长的范例说明，你可以从中发现很多错误的方法，或者不完全正确的方法，但是这类增长仍在继续着。不过，所有长时间持续增长的地方都拥有奥尔森所强调的基本的东西。因此，理解改革可以发生的方法是摆在我们面前的一个很重要的挑战。

当然，解释制度变迁的一个方法来自对那些当权者激励动机的考虑。奥尔森在本书中的大部分努力都与各种政权何以能够在财政激励上提供更好的增长制度有关。他还解释了与专制者有关的老化与继承问题对激励水平的影响。尽管存在这样的先决条件，但是政府的自利因素只对制度是如何产生出来的问题提供了部分的解释。为了说明自利的因素，奥尔森在很多地方都指出，导致变迁的一个必然机制就是增加对来自政府内外的精英分子的了解。关于制度与集体行动逻辑的研究、互动、训练以及观念的传播就是非常必要的。

有很多机会可以使我们把经济体制与政治体制的运作因素结合起来考虑问题。在苏联模式的崩溃或者1997—1998年亚洲金融危机（以及在印度尼西亚的后续危机）这样的动荡过程中，有很多可以不在常理途径上解决问题的办法。那种以近似民主的方式来合并权威的努力最主要的是需要有共容利益（encompassing interests）。波兰的改革家莱茨克·鲍斯若威茨（Leszek Balcerowicz）把出现这些机会的时期称为“非常政治运动的时刻”（moments of extraordinary politics）⑤。

关于好的制度怎样才能出现这样的问题，不独是发展中国家或者转型国家的问题。因为即使是民主国家也会出现有利于狭隘而不是更共容利益的现象（当然这比专制国家要弱得多），奥尔森因此对政府行为的一般结果持一种悲观的看法。这本不是他的描述风格，因为他从个性上讲是个精力充沛、对自己的理解力非常自信的人。但是他认为，我们中的大部分人——即使在民主国家，特别是在稳定的民主国家——对我们政府所推行的许多狭隘政策存在理性的无知现象。⑥他论述道，那些长期保持稳定的社会会受到来自狭隘的特殊利益势力的伤害。在缺乏革命或者其他危机的环境下，怎样才能完成更好的制度建设呢？对此是不存在唯一的答案的，但是对我来说，似乎那些削弱制度安排力量的挑战更平常地发生在有更公开的公共辩论与政治过程，更独立地进行研究，以及更易于感受新技术或者来自外部或相关国内市场危机压力的地方。

我个人对美国以及许多其他国家经验的理解是，良好的关于经济绩效的制度基础的科学知识，在增长过程中可以起到关键的作用。就是说，是良好的科学研究力量的支持，而不是其他依靠理性的政治力量，对经济增长起着重要的作用，那些缺少科学研究智力支持的国家，只会出现对经济增长不利的坏的政治。例如，美国在20世纪七八十年代成功地解除了对交通运输的管制，就得益于经济成本和制度机制方面信息的改善，这些信息对彻底打破高昂的得到完全保护的交通政策起到了关键的作用。⑦在尼泊尔，最简单的事实就是商业许可证的颁发时间成本很高，而行贿却可以使许可证颁发的时间从几年减少到几天。制度设计的详细知识在转型后的俄罗斯和取消种族歧视后的南非是非常有用的。例如，俄罗斯所出现的效率低下且不对称的联邦结构，就不仅与初始经济资源分配有关，也与对宪法设计、私有化机制和选举过程的选择有关。这种看法对今天的印度尼西亚也有极大的价值。如果有一天中国也可以进入我们的话题的话，那么这就将涉及人类五分之一人口的福利问题。正是在这个意义上，奥尔森希望本书以及其不同的侧重点可以对我们理解这些问题有所帮助。

对那些拥有坚固的不受影响的制度安排的地方——无论是非洲或者南亚一直贫困的国家，还是那些尽管相对比较富裕但是已经僵化的民主国家——而言，因为认识的进步从而导致巨大变化的机会可能都会被抑制住。⑧但是这正好强调以下问题的重大意义，也就是我们需要信息的增加以及对这些信息成本的分析，并通过创造性的工作把这些分析结果传递给精英，进而通过精英传递给有影响的政治力量。然而，这只是我们的观察。那么，奥尔森所没有发展的并且现在需要其他学者发展的理论问题是什么呢？如果读者是一个来自贫困国家的试图找到解决贫困方法的投票者，或者是一个带有偏袒性集团的成员，或者是一个政府官员，那么他从这个看法中可以得到哪些进一步思考的问题呢？奥尔森理论所告诉我们的以下一些问题将一直是奥尔森死后人们辩论的焦点：

向更加强化市场型政府的过渡是如何开始的？特别是，政权内部的激励因素会出现什么样的变化？

如果我们知晓更多的关于改革的进程的话，我们会对改革的次序也有不同的思考吗？

不同的强化市场型制度适合不同发展程度的国家吗？

地区和全球市场的一体化对更好的地方制度有什么要求？随着全球化的进行，更好的制度会有重要意义吗？

何种类型的冲突或者其他重要因素会影响特定的制度？

在不考虑国家层面的基本制度安排的情况下，底层或者地方规划项目到底起到什么作用？

私人的自我调节在促进强化市场型服务方面存在什么限度？

读完本书以后，每个读者都有自己关注的焦点和问题，以及对本书观点的不同看法。但是，这正是奥尔森本希望看到的：

许多研究者都有一种本能的张力……杂志上有些文章的观点即使是正确的，但是他们几乎也不是随便就去相信和接受的。正如伟大的战士总是一直寻找敌人的致命弱点一样，伟大的科学家也是一直在寻找可以产生科学发现突破点的领域——该领域可以产生更有说服力的看法。因此，我认为寻找严格的和简化的命题是一个很好的研究战略。在我的学术生涯中，我喜欢以我一直做的那种方式去思考。这就是我想做的唯一的事情。[9]

本书最明显的看法就是将政治学中的权力与经济学中的繁荣两个议题结合起来。可能许多读者还没注意到这两门学科长期以来轻视了权力与繁荣之间关系的重要性，但是奥尔森在本书中一直致力于他毕生的工作，就是重建政治经济学，把其作为社会科学家和政策拥护者们关注的一个中心知识问题。这个目标在奥尔森的经济学、政治学和社会学著作中得到广泛的体现。

奥尔森的研究与工作是在许多方向上进行的，[10]但是，至少一代的学者会特别记住他关于个人在组织集体行动和供应公共物品——从原始村庄成员使用的物品到工会成员为争取更高的工资或者政府对一国公民推行的更好的政策——的能力上的卓越研究工作。他早期的也是被人引证最多的作品《集体行动的逻辑》[11]，解释了为什么集团常常不能为自己的集体利益而行动，以及它们应该如何才能成功地行动。[12]这种观点在我们今天看来似乎是非常陈旧的看法，但是它在那时却使人们重新思考许多常识性的研究假设。公共选择经济学领域早期的一个经典话题，或者就如奥尔森所命名的“集体选择”问题，引起人们对其进行大量的回应、检验与扩展性研究工作。随着其他学者对奥尔森理论局限性的挑战以及将其理论运用到不同问题的解释上，大量的会议和研究工作都是围绕着这些问题展开的。该书本身已经被译成 9 国文字。对这些看法的持久讨论反映了奥尔森观点的经久弥新。

在奥尔森《集体行动的逻辑》一书出版后的 20 到 30 年里，政治学家罗素·哈丁(Russell Hardin)的《集体行动》和经济学家托德·桑德勒(Todd Sandler)的《集体行动：理论与含义》两书分别在 1982 年和 1992 年出版，[13]这两本书继续了对由奥尔森引起的问题的辩论。几乎在《集体行动的逻辑》出版后的 20 年，奥尔森在《国家的兴衰：经济增长、停滞与社会僵化》[14]一书中将他的看法继续用于分析国家的繁荣问题。该书的出版立刻引起人们广泛的注意，于 1983 年赢得美国政治学会格拉迪斯·卡默勒(Gladys M. Kammerer)最佳国家政策图书奖，各种正面的评论可谓蜂拥而至。该书被译成 12 种语言，它涉及全面的经济史知识，目的在于追问集体行动的逻辑怎样才能解释各种政治管辖下的经济增长和停滞问题。在他早期作品所提出的看法中，其中之一就是一个更大的带有共容利益的利益集团会支持与更普遍利益而不是狭隘利益相关的政策。

虽然，随着国家的增加，由政府提供的公共物品确实与奥尔森考察的西方成功的市场经济的演变有关，但是在 20 世纪 80 年代中期，奥尔森开始思考为什么在很多国家会一直存在贫困问题？他关于贫困国家发展问题看法的早期概括集中在他 1987 年的论文《规模经济与发展经济的非经济性问题》⑮一文中。奥尔森在此认为，贫困社会的最大挑战不是资源的缺乏，而是它们很难组织大规模的活动，特别是政府活动。因此，简单地引进大规模的政府组织不大可能是使公共物品更成功生产的办法，“不管在发达国家存在什么样的最优政府角色，在发展中国家，政府的角色相比而言是更小的”⑯。

后来的也是对国家为什么一直贫困这一问题根源的更广泛的研究体现在他 1996 年《丢失在马路边的大额钞票：为什么有些国家是富裕的而有些国家则是贫困的》⑰一文中。他在此要问的问题是，为什么观念、人员以及资本的流动不能够导致各国收入水平的互相接近呢？奥尔森以他特有的叙述风格，用了一个让人难忘的词语，讲述一个经济学家在看到马路边上丢失的一张大额钞票时的情景。奥尔森解释说，这个经济学家不会将这张钞票捡起来，因为如果钞票是真的话它早就被人捡走了。奥尔森因此认为我们需要一个更好的理论，解释为什么贫困国家会把许多“钞票”丢在马路边的现象。他并不认为这是由资源禀赋、特别是人力资本或者技术上的差异造成的，而是由于制度与经济政策——也就是界定国家属性的那些东西——影响了这个贫困国家及其他国家拾起自己大额“钞票”的动力。他的结论是，一个国家所能做的最好的事情就是要“发觉”(wise up)。这种发觉的能力主要取决于经济学家要能够更好地解释激励结构是如何影响增长的。奥尔森认为，简单地期望政治谈判会导向世界上最好的结果是错误的。⑱全球各地积重难返的贫困例子以及理论都说明了这一点。奥尔森的这个看法体现在本书第三章和第四章中。

在其他人还在辩论政府是否是问题的一部分或者是解决问题的一部分的时候，奥尔森的研究努力却已转向更有用的问题上，诸如什么类型的政府、什么类型的政府安排会导致经济增长这样的问题。到底什么是政府的“发觉”呢？这个问题主要有两个方面：一是政府提供的什么类型的服务可以促进增长？二是什么样的政府能够持续有效地提供这类服务?该研究工作导致本书的产生,并且促使奥尔森在本书中提出了“强化市场型政府”的概念。那些阅读过过去10年奥尔森部分论著的人,[19]或者听过他的演讲的人,在本书中会看到过去10年奥尔森的一些观点。他的作品中所使用的一些制度性发展的方法,在学术界已经成为人们研究治理与各种经济后果之间关系的标准。

在完成本书最后工作之前,奥尔森不幸于1998年去世。幸运的是,他已经完成了他书稿重要部分的润色工作,尽管在作者看来,书稿还没有完全地磨好。《权力与繁荣》一书所提出的观点,达到了上面所说的奥尔森一贯期望的严格和简化的目标了吗?我相信,即使读者对他的逻辑还有很多辩论和看法,但是这个答案是绝对肯定的。虽然本书并未完成,但是毫无疑问,奥尔森一直致力于探究重要的理论突破点。

他已经收到很多对本书书稿观点的评论,[20]在他生命的最后岁月里,他的中心活动之一就是对这些批评进行回应,以加强他的论证和阐述。在由于他的突然死亡而遗留下的许多未做的针对别人评论需要做的回应工作中,包括如何扩展他在本书中的看法以及如何检验这些看法。由于这些未竟的工作,与任何做出如此广泛论述的著作一样,本书仍然留下了许多没有解决的问题。由于这些未实现的愿望,本书作为奥尔森作品的最后乐章,仍然不失其重要性。

本书涉及许多重要的问题。在一个正在经历巨大政治和经济变化的世界上,奥尔森不仅一直致力于寻求解释特定发展的根源,同时也力图寻找出那些更加成功的社会的内在逻辑到底是什么。

奥尔森的中心任务是寻找一种解释性的逻辑,但是这并不意味着他只是追求象牙塔中的理论。政治家、学者以及那些提供建议的人都会从如何促进发展的深邃理论中获益。奥尔森为我们做到了这一点。在一次要么是对某些学者工作的批评,要么或许是批驳某些只赞助应用技术研究而不赞助基础研究的赞助者的讲话中,奥尔森指出,“最好的理论是极具有实践性的理论”。在本书中,奥尔森找到了一个可以解释政府基本功能的理论，同时该理论可以在正常的途径上得到逐步的改善。

这种好的理论以及此类理论研究会对实践极为有用的信心，导致奥尔森在他的最后 10 年里在马里兰大学建立了制度改革与非正式部门研究中心（Center on Institutional Reform and the Informal Sector，IRIS）。在那里，他可以自己将严格的和简化的观点运用到即时性的问题上。该项计划吸引了来自马里兰大学以及世界各地的学者将学术精力更多地集中在治理和增长这样的棘手问题上。

奥尔森突然终止了他一生都没有完成的工作。本书只是他所有工作的一部分，与世界各地的许多同事的谈话和辩论是其工作的另外部分，而他去世后所留下来的 19 个文件包，每一个里面都包括独立的有价值的研究课题，同样是其工作的重要部分。本书正如奥尔森所写的其他论著一样，会促使人们进一步地辩论和研究。正如人们所指出的，奥尔森的风格就是从这些挑战中得到莫大的研究乐趣。他对每一个提问者及所提的问题都认真对待。我们对与这样的人在一起工作而深感荣幸，我们几乎能够想起他对我们的观点提出的所有问题。而他的独特风格更能够唤起我们对他的深切思念。我们不会再遇见具有如此独特才智与能量的人了，这种独特的才智与能量使我们与奥尔森的交往是如此富有乐趣和挑战性。

在本书没有完成的部分中还包括作者的致谢。不过从奥尔森遗留下来的书稿以及与他妻子的谈话中，致谢的对象是很清楚的。奥尔森愿意把这本书献给他的三个孩子：爱利卡（Ellika），塞弗林（Severin）以及桑德尔（Sander）。因此最后我谨以此致谢结束我的导言。

查尔斯·卡德韦尔（Charles Cadwell）

1999 年 9 月于马里兰[21]

注 释

① 对于这些壁画所作的深入讨论，参见 Randolph Stern and Loren Partridge, *Arts of Power*. Berkeley: University of California Press, 1992, pp.1—80。对于此一时期意大利城市里公社运作的描述，参见 Lauro Martines, *Power and Imagination: City-States in Renaissance Italy*. New York: Knopf, 1979。

② 奥尔森对参加强化市场型政府会议的学者的讲话。该会议召开于 1997 年秋。

③ 可参见如 Steven Radelet and Jeffrey Sachs, "The East Asian Financial Crisis: Diagnosis, Remedies, Prospects." Brookings Papers on Economic Activity, January 1998, pp.2—74。

④ Anthony Lanyi and Young Lee, "Governance Aspects of the East Asian Financial Crisis."该文提交给 1999 年 3 月召开的 IRIS Conference on Market Augumenting Government 会议。

⑤ Leszek Balcerowicz, *Socialism*, *Capitalism*, *Transformation*. Centrak European University Press, 1995, pp.160—163.

⑥ 使我们知晓并参与到讨论中来的这种努力对于我们个体的成本要远远高于我们降低扭曲的努力所给我们个体带来的收益。故而，保持无知的状态是我们理性的选择。与此同时，得到我们个体所贡献的所有收益（通过税收、较高的价格，或特定的政策扭曲所能产生的无论何种收益）的狭隘利益集团，总是会具备组成政府并对其索求的强烈动机，而忽视对更广泛的社会的损害。

⑦ Dorothy Robyn, *Braking the Special Interests: Trucking Deregulation and the Politics of Policy Reform*. Chicago: The University of Chicago Press, 1987.

⑧ 乔纳森·劳奇（Jonathan Rauch）的 *Demosclerosis* 一书（New York: Random House, 1994）建立在奥尔森式的逻辑基础上，描述了华盛顿的政策僵局。他对这个问题所给出的药方不是该书的主旨，但此药方最终要依赖于恼羞成怒的公众来驱使政客去做正确的事情，尽管要做到这样也只是在发生了一次大规模的危机之后。没有出现危机而实现了改革的例子少之又少。劳奇本人只能找到撒切尔执政时期的英国一例。

⑨ 1997 年 7 月发给阿瓦尼什·迪克西特（Avanish Dixit）的电子邮件。

⑩ 下面一部分回顾奥尔森作品中与此著作相关的观点的演进过程。这一部分的主要作用是针对那些对奥尔森作品并不熟悉的读者的。对

于这本书中所总结的观点，读者会从它们的演进线路图中获益。本书自成一体，而下面这一部分对于欣赏或理解本书当然不是必不可少的。

⑪ Mancur Olson, "The Logic of Collective Action: Public Goods and the Theory of Groups." *Harvard Economic Studies*, Volume 124, Cambridge, MA: Harvard University Press, 1965.

⑫ 就奥尔森对集体行动的理解所作贡献的更为详尽的回顾，参见 Omar Azfar, "The Logic of Collective Action." in the *Elgar Companion to Public Choice*, 1999。奥尔森的同事马丁·麦圭尔(Martin McGuire)对奥尔森专业上的贡献做了更为个人化的回顾："Mancur Lloyd Olson Jr. 1932—1998 Personal Recollections." *Eastern Economic Journal* 24(3), Summer 1998, pp.253—263。

⑬ Russell Hardin, *Collective Action*. Baltimore: Johns Hopkins University Press, 1982; Todd Sandler, *Collective Action: Theory and Applications*. Ann Arbor: University of Michigan Press, 1992.

⑭ Mancur Olson, *The Rise and Decline of Nations: Economic Growth, Stagflation and Social Rigidities*. New Haven, CT: Yale University Press, 1982.

⑮ Mancur Olson, "Diseconomies of Scale and Development, Essays in Honor of Peter Bauer." *Cato Journal* 7(1), Spring/Summer 1987, pp.77—97.

⑯ Mancur Olson, "Diseconomies of Scale and Development, Essays in Honor of Peter Bauer." *Cato Journal* 7(1), Spring/Summer 1987, p.96.

⑰ Mancur Olson, "Mancur, Distinguished Lecture on Economics in Governmment—Big Bills Left on the Sidewalk: Why Some Nations Are Rich, and Others Poor." *Journal of Economic Perspectives* 10(2):3—24(Spring 1996).

⑱ 在 Does Voluntary Participation Undermine the Coase Theorem 一文(即将发表于 *Journal of Public Economics*)中，迪克西特(Avanish Dixit)和奥尔森提出了一个技术上的论点，以断言仅仅降低政治参与的交易成本将不会克服这一趋势。这篇文章，曾颇具挑衅性地题为"科斯定理完全错了"(The Coase Theorem Is Mostly Wrong)，认为：即使极少的集体行动的成本，也会使科斯理论对外部性市场的洞见在延伸到政治上的讨价还价时发生错误。

⑲ Christopher Clague, Philip Keefer, Stephen Knack, and Mancur Olson, "Contract Intensive Money: Contract Enforcement, Property Rights and Economic Performance." *Journal of Economic Growth* 4: 185—211 (June 1996); Clague, Keefer, Knack and Olson, "Property and Conctract Rights in Autocracies and Democracies." *Journal of Economic Growth* 1(2): 246—276(June 1996); Mancur Olson, "Dictatorship, Democracy and Development." *American Political Science Review* 87(3): 567—576 (September 1993); Martin McGuire and Mancur Olson, "The Economics of Autocracy and Majority Rule: The Invisible Hand and the use of Force." *Journal of Economic Literature*, March 1996, pp.72—96.

⑳ 在1996年和1999年,卢森堡欧洲与国际关系研究所(Luxembourg Institute for European and International Studies)组织了两次非常有益的关于这些观点的研讨会。除经济学外,来自其他一些学科——如历史、政治学、社会学,还有其他学科——的两组不同的学者分别在华盛顿和卢森堡举行会议,对这些观点以及本书的细节问题作了广泛的讨论。该机构将会很快出版这两次会议上的讨论记录,就像它已经出版了关于其他一些重要书籍的会议讨论记录一样。这个讨论记录将是本书的饶有趣味的补充。这些会议上的讨论,以及奥尔森所直接收到的大量长篇信件,都显示这些问题是颇有难度的,而且不管人们对奥尔森细致入微的描述看法如何,他都触及了一个最为重要的问题。

㉑ 对于奥马尔·阿兹法(Omar Azfar)、罗杰·雷坦考特(Roger Retancourt)、安东尼·兰伊(Anthony Lanyi)、彼得·默雷尔(Peter Murrell)和艾利森·奥尔森(Alison Olson)等人对此部分的评论,我表示感激和答谢。当然,不足之处完全由我本人负责。

前言

1991年8月19日夜晚，那是苏联强硬派发动反对戈尔巴乔夫政变的那一天，我的电话响了。当时我正在忧虑地看着电视新闻报道，报道说政变似乎要成功了。电话是一位很受欢迎的专栏主持人打来的，他问了我很多尖锐的问题。他问道，一个会把自由市场体制加于苏联的明智的独裁者对陷入泥潭之中的苏联经济来说难道不是唯一的希望吗？在亲市场的皮诺切特统治下的智利，朴正熙和全斗焕领导下的韩国，蒋介石和蒋经国管理下的中国台湾，李光耀治理下的新加坡，以及邓小平领导下的中国大陆，这些国家和地区在经济绩效上不是取得了很大的增长吗？在我1982年的《国家的兴衰》一书中，我不是说过民主社会中游说和结盟集团的聚集本质上会削弱这些社会的增长动力吗？苏联的经济绩效——就如苏联政变领导人所说的——随着戈尔巴乔夫引入他的所谓民主改革并使苏联的东欧盟国摆脱苏联的控制，难道不是急速下滑吗？

尽管我们的谈话直到我妻子已经催了我两次吃晚餐时才停止，但是我还是没有能够提供专栏主持人所希望得到的这些尖锐问题的答案。问题不是问题太多了，以致我很难提供一个充足的对这些复杂而巨大议题的分析，其实，我思考这些问题已经很长时间了。问题是我不知道其答案所在。

这些问题对我来说是逃脱不了的，部分原因是它们与我的日常研究工作有关。就在这位专栏主持人来电话的前几个月，我开始投入一项研究，以对前共产主义国家和第三世界国家提供经济政策和制度改革的建议。在马里兰大学，我建立了制度改革与非正式部门研究中心(IRIS)，它一开始就得到美国国际开发署的独家资助。该中心在45个前共产主义国家或者第三世界国家拥有办公室或者研究项目，在许多这类国家，都存在那位专栏主持人提出的同样的令人头疼的问题。例如，有些印度人告诉来自中心的人们，他们困惑的是印度的经济没有落后中国大陆、新加坡、中国台湾以及韩国太多是不是因为印度是民主国家呢？一位博学多识的后来任职于俄罗斯政府部门的俄罗斯人在莫斯科告诉我，他担心俄罗斯的民主革命会走向热月革命那样自己吞灭自己的阶段。当我天真地指出，拿破仑建立专制统治并侵略整个欧洲，只是在热月革命后的很短时间里的时候，这位俄罗斯人立刻就像对一个于纷繁复杂的世界懵懂无知的小孩子那样回答说："当然！"如果不拿法国大革命来类比的话，也应该拿魏玛共和国来类比的。他的回答使我后来想到，如果拿破仑或者希特勒控制俄罗斯的核武库的话，那将会发生什么。

如果这类经验可以集中起来思考，那么那位专栏主持人提出的问题可能就会得到回答。这很大程度上得感谢来自许多国家的信息以及同事们新颖的研究。最大的问题就是缺少一个合适的知识框架。在研究文献中还没有一个可系统理解的或者令人满意的理论可以涵盖独裁与民主问题(而市场问题就更少了)。幸运的是，我们需要的理解力慢慢出现了。

那么，似乎谁也不知道幸运的事情会发生在哪里。作为一名经济学家，我可以很容易地用标准的经济理论来构造一个新的框架去提供如何使一个国家达到经济繁荣的途径。例如，可以去处理一个社会如何获得市场经济以产生更高的并持续增长的收入这样的问题。即使在比较贫困的第三世界国家，市场也是无处不在的。在离开机场数小时后，一个去第三世界访问的游客就会遇见无数的小商小贩。小集市上充满着精明的商人，村庄里会有商店、市场，并安排有特定的赶集日。然而，那里的经济却是非常糟糕的，人们的生活仍然很贫困。在共产主义崩溃后的俄罗斯，市场几乎无所不在。在1992年初价格自由化后的莫斯科，人们立刻开始在每个地铁商店进行交易，马路边的各种售货亭层出不穷。在长时间共产主义的统治下，企业精神也没有被根除掉，因而无数的市场会自发地出现。然而同时，不仅在俄罗斯，在其他许多前共产主义国家，人们依然很贫困，产量仍然在滑落。

什么东西使一些市场经济国家变得富裕而其他国家变得贫困呢？一个国家到底需要什么样的政策和制度，从而可以从一个小贩和集市一样的市场经济转到可以产生很多富人的市场经济上？在发展回答专栏主持人提出的问题的理论中，本书也提供了很多回答像为什么几乎每个社会都有不计其数的市场而富人却很少这样的不同问题的答案。

有了这些答案，我们就可以很快理解为什么在法西斯主义和苏联共产主义崩溃后会出现那么巨大的收入差别。在第二次世界大战以后，许多观察家期望联邦德国、日本和意大利会仍然保持长时间的贫困。美国考虑的是，要使这些国家的人活下去的话，可能还需要为他们提供多年的食品供应。实际上，三个失败的轴心国随着战争限制和占领的结束，很快就拥有快速的经济增长。这三个增长的例子是许多流行的经济理论所无法解释的，因而被人们称为“经济奇迹”。相反，当苏联共产主义崩溃后，那些曾经经历过苏联式经济体制困扰的人们和许多西方观察家一样在期待着经济绩效会得到极大的改观。实际上，在许多前共产主义国家，经济绩效甚至比共产主义统治时期还要糟糕。每一个前共产主义国家都遭受着产量的滑落——如果还不是崩溃的话，很多国家还需要很长的时间才能够恢复。虽然我相信前共产主义国家的官方统计数据夸大了收入的下降程度，我个人对它们的经济未来也是乐观的，但是毫无疑问的是，经济绩效确实低于人们的预期。

战败的轴心国与崩溃的苏联共产主义国家之间经济绩效存在的如此巨大的难以想象的差异，在第二次世界大战的战胜国看来的确是非常显著。二战后的一段时间，战胜国担心德国和日本会再次成为一个侵略性的独裁国家，所以它们并不希望后者发展强有力的工业经济或者甚至成为一个统一国家。相反，后来冷战胜利一方的国家却想帮助曾经是共产主义的国家发展为成功的西方意义上的民主国家。因此，本书要问的一个问题是：与人们的预期相比，为什么法西斯主义失败后的国家的经济绩效要比苏联共产主义崩溃后国家的经济绩效要好得多？

铁幕的落下揭示了西方发达国家——不管它们是二战中的胜利者还是失败者——不想看到的一个事实：大量存在的官员腐败和黑手党式的犯罪现象。例如在俄罗斯，一些民意调查表明，犯罪和腐败是最严重的社会问题。当然，尽管在许多西方国家也有腐败的官员和黑手党组织（在美国的一些大城市，街头犯罪也许比前共产主义国家更厉害），但是前共产主义国家的官员腐败和有组织犯罪（特别是在前苏联）与西方国家的经历是不一样的。因此，本书要问的另外一个问题是，为什么前共产主义国家会遭受如此严重的官员腐败与有组织犯罪的困扰？

由于我们已经创立了可以回答那位专栏主持人问题的知识框架，并且这个知识框架结合了标准的经济学理论，其结果就是这样的知识结构可以自发地包括市场和政府。社会的富裕或者贫困，显然既有经济也有政治的原因。因此，排除掉政府的市场理论，或者纯粹地把经济作为外生力量的政治概念，本质上是有限的和不平衡的。它们不能告诉我们更多的关于政府形式与经济财富之间的关系，或者不能充分解释为什么有些社会更加富裕而有些社会更加贫困的缘由。

虽然几个世纪前的亚当·斯密（Adam Smith）、约翰·穆勒（John Mill）以及其他一些伟大的经济学家将政府和政治以及公司和市场都纳入他们的经济分析中，但是 20 世纪的经济学家却不这么做了，直到最近，这种现象才有所扭转。熊彼特是 20 世纪第一位这么做的经济学家，他的工作体现在他杰出的《资本主义、社会主义与民主》一书中。为了纪念他的杰出贡献,我早期把本书书名定为《资本主义、社会主义与独裁》。然而,选择现在的书名,则是为了能够更清晰地突出要探讨的问题。罗伯特·克里特加德(Robert Klitgaard)给我取了本书书名的副标题,即"成长过度的共产主义与资本主义专制"(Outgrowing Communist and Capitalist Dictatorships)。为此我极为感谢,不仅因为这个副标题中的"outgrow"有双关的意义,还因为它使我们想到即使最稳定和最发达的民主国家,在调整了其更高的经济起点和更少的追赶潜能后,也将比世界上的独裁政权取得更惊人的经济增长。如果本书的论证是正确的,那么它对欧洲、北美和日本这些发达民主国家,以及那些曾经是或者还是独裁统治的国家,都有非常重要的经济政策意义。

我在前言中已经做了很有力的阐述了。这不是为我,而是为了向那些评论者、读者以及关于这个主题的后续研究者们证明我的看法是否是对的。如果我的看法是不对的,那我理应受到严厉的批评。尽管我的研究工作是建立在其他人工作的基础上,并从我的同行特别是我们中心和马里兰大学经济系的专家们那里得到了大量的极有价值的信息、帮助和学术批评,但是,我个人应承担本书所有的缺陷以及许多缺乏推敲的看法的责任。如果读者研究本书后面每页的内容——当然还会对它们做出严格的批评,那么我将感到非常高兴。

曼瑟·奥尔森

目　录

强化市场型政府乃经济发展之根本
序
前言

CONTENTS

1　**权力的逻辑**　1
罪犯的比喻　1
固定活动范围的匪帮　5
历史事实　9
专制统治与大多数人统治的比较　11
更具共容利益观的大多数　15
其他的一些含义　18

2　**时间、收入与个人权利**　23
"国王万岁"　25
匪帮的终结　26
民主的自发产生　27
代议制政府的财产和契约权利制度　30
持久的民主意味着持久的财产和契约权利　33

3　**科斯谈判、交易成本与无政府社会**　38
互利交易的起点　40
交易成本　41
市场失灵　42
科斯定理　43
对科斯理论的概括　45
无政府社会　52
对理论的附加说明　54

4 理性的人与非理性的社会 57
小集团常常可以成功地进行集体行动 59
战略互动 60
一个寻常的错误 61
要是没有交易成本会如何? 65
有选择的激励 68
小结 70

5 治理与经济增长 73
治理的演变 73
拥有组织自由的社会的僵化问题 75

6 执法与腐败的根源 83
维护法律的压力 85
私人领域针对执法的普遍一致的压力 87

7 苏联模式的专制理论 89
专制者攫取的限度 90
增加储蓄和投资的财产征用 91
税收如何能提高工作意愿? 92

8 共产主义的演进及其遗产 108
连贯性计划所需获得的信息 109
官僚机构内的竞争 110
隐蔽的共谋 113
共谋的证据:预算软约束 117
执法与腐败 119

9 对转型的意义 124
一种税收体系的衰落与崩溃 126
内在矛盾 131
尚未完成的工作 135

10 达致繁荣所需要的市场类型 137
种类不同的市场 138
为什么市场无处不在? 142
错误导向的干预主义是否导致市场几无用处? 143
社会规划型市场和权利密集型生产 145
作为繁荣动因的个人权利 148
回到前言部分 154

参考文献 160
译后记 166

1 权力的逻辑

现在，几乎所有的经济学家，以及其他学科领域的许多学者，都承认当存在清晰的激励生产的措施时，通过专业化和贸易的社会合作，社会更有可能获得繁荣的增长。如果一个社会要获得可能的更高的收入，那么激励措施必须是清晰的、明确的，同时还必须促使经济生活中的个人和公司在一种社会最有效的途径中互动。也就是说，他们在完全竞争性行业中熟悉这些激励措施：市场如此之大，而公司如此之小，使得没有一家公司拥有垄断性的权力或者可辨察的力量对价格产生影响。

当我们从什么是对繁荣最有利的因素转到什么是对繁荣最不利的因素时，人们比较一致的看法就是：当存在激励因素促使人们去攫取而不是创造，也就是从掠夺而不是从生产或者互为有利的行为中获得更多收益的时候，那么社会就会陷入低谷。在霍布斯的无政府状态中，没有任何措施限制人们去掠夺别人，或者在盗贼统治的世界中，那些权倾一世的人攫取了大部分的资产，这样，社会生产和收益并不是通过专业化和贸易的社会合作途径完成的。

那么，是什么因素决定了社会处于以下两个极端之中呢？一方面，个人和公司被激励去按照最有利于福利的目标行事，而另一方面，掠夺行为却阻碍了投资、专业化和贸易。决定能够激励有效生产和社会合作的模式或者仅仅只是苦于生计的状况的因素是什么呢？我们需要发现那些握有权柄的人要做什么，以及他们是如何获得权力的。在什么情况下这些人会愿意使用权力去促进生产和社会合作？何时他们会利用权力攫取来自生产和贸易中的大部分收益？为什么他们要攫取？为了理解这些问题，我们需要先探讨一下权力的逻辑。

权力问题历来是政治学研究中的圣杯（the Holy Grail）*，但是人们至今也没有发现这圣杯。有些经济学家试图通过扩展市场模型来解释权力问题，他们从"科斯谈判"中的自愿交易开始，然后利用限制贸易和谈判的交易费用理论作为政府和政治理论的基础。其中有些经济学家进一步将科斯定理扩展到政府和政治学分析中。该定理认为除非交易成本太高，个人总是有强烈的动机去进行谈判的，直到他们都将他们的共同收益最大化为止。这一过程使这些经济学家相信权力总是倾向于以社会有效的方式被使用。我在本书第三章要对这一从前一直为人忽略的以逻辑上的错误而得出的让人迷惑的观点进行阐述。显然，权力的逻辑仅仅通过自愿的交易是不能得到充分解释的。权力——不仅仅只限于政府的权力——是能够产生强制性服从的能力，因此它和强制性的权威以及施行压制的能力相关。我们将看到，仅仅理解自愿交换理论是不够的，我们还必须理解力量的逻辑（logic of force）。

罪犯的比喻

权力是由人执行的。当然，人的行为极为复杂。据我的理解，人很

* 传说是耶稣在最后的晚餐时用过的杯子。——译者注

少不是在混合的动机下行事的。人性中既有自利的因素，也有行善的成分——即使含有恶意。历史的结果确实既依赖握有权力的人的动机和自利行为，也依赖他们的道德和性格。在本书结尾部分前，我将分析对社会进步具有决定意义的公正性和原则性的背景因素，但是，我将首先对那些握有权力的理性自利的人的激励因素和诱因着力进行分析。

当我们集中对强制性权力和自利行为进行分析时，我不妨使用罪犯的比喻来说明这个问题。很显然，我们不能把偷窃行为理解为自愿的贸易或者道德的行径，这样做，有助于我们把注意力只集中在强制性权力的自利使用上。利用这个比喻，我们将看到更深层次的东西，然后建构我们需要的理论。由于罪犯的行为只是一个成功社会中的例外而不是通则，因此罪犯的比喻还提醒我们从中抽象出人性复杂性的程度是有所不同的。

现在让我们看看在一个人口稠密的社会中一个罪犯所面临的激励问题。在其他条件都相等的条件下，一个罪犯在富裕社会中当然比在贫穷社会中处境要好，因为有更多的东西可以偷窃。盗窃行为很显然会危害社会的繁荣，因为用于盗窃的时间并不会导致产出，相反，它会减少从生产性工作和投资中所能得到的回报，从而使人们不得不将资源额外用于保卫、防盗、警察、监狱以及犯罪资料控制体系等诸如此类的东西。因此，任何罪犯所犯的罪行都减少了社会的福利，也使可偷窃物品的总量减少了。但是，这会使罪犯悬崖勒马改邪归正吗？

每个人都知道这不会，但是我们必须知道为什么会如此？在一个由100万人组成的社会中，一个小偷因他的行为对社会产生的影响，而对社会造成一百万分之一的损失。然而通常来说，他独自承担着他放弃偷窃机会可能给自己带来的全部损失。因此，罪犯从一个更为富裕的社会中偷窃所能获得的收益，与社会因为偷窃行为而导致的福利水平的降低，都会使犯罪活动有报偿。（只有在极为异常甚至荒诞的情况下，也即一个小偷的偷窃行为给社会造成的损失是其先前一次偷窃行为造成损失的100万倍，相反的情况才是对的。）只有社会对犯罪活动进行惩罚才可以使罪犯为自己的行为支付成本，然而，施加惩罚并不总是很充分全面的。虽然在一个繁荣社会中，每一个罪犯都有其自己的利害考虑，但是这个利害是如此微不足道，以致其一直受到忽略，所以他总是照偷不误。我们将会看到，那些拥有强制力的个人在一个社会中是具有微不足道的利害关系，还是具有共容利益关系（encompassing interest），其行为和结果是有极大的区别的。

在论述共容利益之前，我们必须注意的是，当市场上存在自愿交换的情况时，同样是促使罪犯进行偷窃的自利因素会导致完全不同的结果。比如，如果更好的对犯罪活动的威慑措施导致罪犯通过劳动力市场上自愿交换行为来实现自己的利益，那么他将会通过寻找工作来获得更高的报酬。那些追求利润最大化的雇主，是不会以高于工人成本的价格雇用一个不能为其公司资产增值的工人的。在自利动机的驱使下，先前我们假设的那个罪犯在追求更高工资的工作过程中，其边际社会生产或者对社会产出的贡献是趋向最大的。①

那么，现在我们把在一个人口稠密社会中的单个罪犯，与黑手党家族的首领或者其他可以控制街头犯罪活动的犯罪集团做比较。假设在一个犯罪分子的势力范围内，一个犯罪团伙已经偷不到什么东西了，但是它却可以阻止其他团伙在这个街道的犯罪行为。显然，黑手党家族的确极力阻止其他团伙进入他们的控制领域，但是它能够在自己地盘上攫取到所有可得的收益吗？当然绝对不是。

如果这个区域由于盗贼的横行而使商业无利可图，或者居民由于这里的犯罪行为而纷纷迁走，那么这个区域的收入将会减少，盗贼最终也会无东西可偷。确实，掌控邻街犯罪活动的黑手党家族是不会纵容任何犯罪活动的，如果它控制了邻街所有的犯罪活动，它将能够从促进有利可图的商业和安全的居住环境中获利。所以，黑手党家族会通过为他人提供保护而获得最大化的利益，这种保护既包括反对针对自己的犯罪活动，也包括反对那些由其他团伙所做的犯罪活动。在其他条件都相等的情况下，社区的商业和居住环境越好，那么保护费的收入就越可观。因此，如果一个黑手党家族拥有控制犯罪的权力，撇开保护费不谈，那么犯罪的活动就不会太多。关于被控制的犯罪活动的研究文献清楚地表明，对犯罪活动安全的控制常常导致保护费而不是一般的犯罪问题。在黑手党类型的组织所控制的区域内盗窃和暴力的横行，往往都意味着此类型的团伙对这个区域失去了控制。②

关于罪犯的比喻，说明的是我在《国家的兴衰》一书中所阐述的狭隘利益和共容利益问题。③在一个人口众多的社会中，单个强盗的盗窃行为对社会造成的损害很小，换句话说，他获得的利益相对来说也很小，因此他也不会意识到他的盗窃行为给社会造成的损害。相反，控制一个社区犯罪活动的黑手党家族由于其对犯罪活动的垄断性，其对社区收入的看法拥有一个相对妥当的共容利益观，所以，它使用自己强制性的权力来为自己的社区利益考虑。在一个人口众多的社会中，单个罪犯只承担其犯罪行为给社会带来损失的极小一部分，而拥有对邻街牢靠控制权的犯罪团伙却可以通过保护费获取社区总收入很重要的一部分。由于这种控制可以把他们的共容利益与社会收入紧紧联系在一起，所以他们实际上承担着社会损失很重要的一部分，包括其自身的保护费。因此，尽管单个的罪犯一般会大肆行窃，但是牢靠而又理性的黑手党头目在任何地方都不会收取全额的保护费，因为很简单，这会降低邻街总收入，从而最终影响黑手党家族的收入。

固定活动范围的匪帮

我们使用一个关于中国军阀的故事来进一步说明这个问题。④在 20 世纪 20 年代，中国很大程度是由许多军阀控制着。这些军阀带着自己的武装占山为王，为自己的利益强取豪夺。例如，冯玉祥就动用自己的军队镇压当地的盗贼，并击败当地颇有影响的叫“白狼”的匪帮。很明显,在冯控制的地盘中的老百姓都希望他能一直作为军阀呆在那里。*

初看上去这样的形势很奇怪:为什么那些有固定活动范围的军阀会一直采取只有流动匪帮才会使用的强取豪夺行为呢? 军阀们并不寻求正当性,他们的豪夺行为与流动的匪帮截然不同,这一切仅仅因为他们靠征收持久的保护税而不是偶尔的劫掠。

有个很好的理由可以解释老百姓这样的偏好。在混乱的情况下,产出会很少,因而就无可盘剥了。如果一个流动的匪帮头目发现哪怕很少的劫掠物都足以使其占领一块地盘,并将其他匪帮赶出这块地盘,那么他就能够控制那块地盘的犯罪活动,他因此就成了固定的匪帮了。这种对犯罪活动控制的好处,并不主要是他因此就可以垄断其他匪帮先前在这块地盘上攫取的收益,而在于使其可以控制这块地盘上的共容利益,这和我们在上一节里谈到的黑手党家族的活动是一样的。他的确比黑手党家族具有更大的共容利益,因为控制混乱地盘的匪帮头目在课税问题上不存在与政府的竞争,也就是说,他是那块混乱地盘上的唯一的课税者或者"行窃者"。

对盗窃活动的垄断,会对激励因素产生非常大的影响。我们已经看到,在一个人口众多的社会中,单个罪犯只有狭隘的或者微不足道的利益,理性地讲,他意识不到其行为对社会的危害程度,因为这种程度相对来说太小了。这种反常的刺激因素会使混乱状态变得更糟。一个固定匪帮头目的共容利益观,会使它持续打击其他犯罪活动,阻止外来的征税者,从而使其行为截然不同。

首先,他会减少其攫取的份额。就如我们所看到的,在很多人中只有一个罪犯,则他会倾力进行盗窃活动,相反,对一个地盘行使持续控制的固定匪帮,则尽力确保普通人能够从事生产活动的动力,以及进行相互有利的贸易活动。普通人创造的收益越多,那么他们能够攫取的好处

* 冯玉祥是中国现代著名爱国将领,由于对中国历史的不熟悉,使作者在这里对其可能有偏见性的描述。——译者注

就越多。一个稳定的定居的匪帮，总是攫取普通人产出的一小部分作为其稳定的税源，保持普通人进行生产活动的动力。如果他把自己的窃税率从95%降低到90%，那么他就增加了其臣民生产和贸易的税后所得，这样就可能更大规模地增加产出和税收所得。⑤

固定的匪帮会从减少窃税率中持续得到收益，当然，窃税率会减少到他从更大的产量上窃税的所得正好被他的所失(得到更少的产出份额)所抵消的那个点为止。这样，他就处于最大化的窃税率上。⑥如果固定的匪帮将税率从51%降到50%，因此他管理领地的产出从98%增加到100%，那么他将会得到他的最大化税收所得：他将得到增加后的50%的产量，这个产量正好大致被减少的总产量中他的份额所抵消。也就是说，这个固定的匪帮由于他对犯罪和税收的垄断，⑦在他管理的领地上他有共容利益去考虑不采取掠夺性行为，因为他要承担由于他的掠夺性行为而带来的社会损失的份额。如果上面例子中的匪帮首领将他的税率从50%往上增加，那么他会承担因为更高的掠夺性税率带来的生产激励因素的错乱所引起的社会损失或者沉重的损失，从而使他不足以获得更多的收益。一般来说，在任何给定的掠夺性税率上损失得越多，匪帮首领所采取的最大化的窃税率就越小。⑧尽管损失沉重以及匪帮采取的税率各不相同——匪帮的税率因为具体环境而不同——但是每个匪帮首领都有自己的一个永远低于100%的窃税率(有时可能还会更低)以最大限度地扩大自己的所得。

匪帮对其所偷窃的人的恩惠

共容利益影响固定匪帮首领动机的第二种办法是使其趋于为其统治的领地及那些纳税人提供公共物品。他用他自己控制的并且完全可以用于自己享乐的收入来为其领地提供公共物品，看起来这的确是矛盾的。我们知道，一种公共物品可以惠及某一个地方或者某个集团中所有人，许多公共物品，例如防洪、打击犯罪的警察力量以及限制传染性疾病的扩散，都可以使社会的生产能力显著提高。

由于在最优窃税率的情况下,[9]固定匪帮首领可以获得其领地产量增长所带来的更多收益,因此他可以受到激励,去将他控制的资源投资于加强生产能力的公共物品供应上,直到他花在公共物品供应上的所有钱相当于他从产量增加中获得的最大收益为止。[10]因此,如果一个固定匪帮首领的最优窃税率是50%的话,他会一直供应公共物品,直到最后一个美元的钱投到公共物品供应上可以增加其领地中产出2个美元的时候为止(因为那样他可以得到一个美元的回报)。从更一般的意义上讲,如果固定的匪帮首领得到的任何增加了的产量为 S 的话,那么他将通过把自己控制的资源用于公共物品生产上,直到其领地的产出增加 $1/S$ 以使自己能够得到最大化的利益为止。读者如果想要知道这个看法的数学与几何学的证明,可以参考我和麦圭尔(Martin McGuire)合写的《专制与大多数人统治的经济学分析》一文。[11]

专制的起源

简单地说,匪帮首领如果强大到可以稳定地占有一块领地并控制那里的偷窃行为的话,那么他在其领地上就有共容利益。这种共容利益使他限制和调节他的窃税率,并且会把他控制的一部分资源用于公共物品的供应上,当然,在匪帮首领控制领地上的受害者从公共物品供应中所得的好处不能多于匪帮首领自己所得的好处。由于对匪帮首领来说,这些受害者是其税收报偿的来源,所以他会保护他的臣民免遭谋杀或者肉体上的伤害。因为其臣民的偷盗行为以及自己采取措施防止偷盗行为的发生都会减少其总的收入,他可以把自己控制的一部分资源用于阻止其臣民中的犯罪行为以及提供其他公共物品来实现自己的利益。拥有足够能力控制其领地的匪帮首领有强烈的动机成为一个头戴皇冠、能够安居乐业的供应公共物品的专制者。

一般而言,由于一大帮有足够能力组织大规模暴力的人的理性自利因素,为这一大帮人利益服务的政府因而就会产生。这些暴力团伙一般不愿意把自己称为匪帮,相反,他们总是给自己及其继任者以吹捧性的称号。他们有时甚至声称是基于神授权利而统治的。由于历史总是由胜利者书写的，那些处于统治地位的王朝当然把其解释为是基于高尚的动机而不是自利的因素而产生的。各种各样的专制者总声称是他们的臣民希望其来统治，这种说法因此滋生了一种错误的假设，认为政府的出现总是由于臣民自愿选择的结果。

一旦我们理解了当匪帮安定下来并牢固地控制一块领地后其动机的微妙变化，我们就知道为什么匪帮的臣民——即使匪帮首领年复一年地从他们身上榨取油水——也宁愿需要一个固定的匪帮而不是间或窃取他们的流动匪帮来统治。流动的匪帮意味着无政府状态，而用政府来取代无政府状态就会带来产量的巨大增加。一个固定匪帮统治下的臣民会获得增加的那部分不需要纳税的收益。事情的逻辑——以及历史上的信息和最近的观察——表明，固定匪帮持续的剥夺行为要比无政府状态更好。

由此而来的是，我们熟悉的关于掠夺性国家的比喻就是不充分的，即使对那些完全由自私自利的领导人控制的专制国家来说也是如此。就如我们前面所看到的，一个固定匪帮在他控制的土地上有自己的共容利益，因此愿意提供国内秩序与其他公共物品。所以，他不是一匹捕食鹿的狼，而是一个要确保其所养的奶牛能够得到护养的牧场主。除非考虑到固定匪帮在获取最大化窃税的激励下提供公共物品的动机因素，否则关于专制国家的比喻或者模型就是不正确的。

历史事实

从历史上看，我们知道自利的专制者的共容利益与经济增长甚至文明的进步是可以联系在一起的。至少自在定居农业的第一次大发展后不久萨贡国王(King Sargon)的征服在古代美索不达米亚平原创造了阿卡德帝国(Akkad)，专制体制就成为很普遍的现象。历史上大部分时间里大部分人都处于专制统治和税收盘剥之下。要发现慈善的独裁者确实很困难。固定匪帮的模型要比关于专制者是利他的假设更符合事实一些。

然而，很显然，在民主制度盛行之前，历史上也有总收入、人口和文明的显著发展。最近也有很多处于专制统治下取得显著经济增长的例子。所以我在后面会论证相对民主的社会——或者至少拥有代议制政府的非专制社会——在经济增长中会起到不相称的作用。[12]这绝不是偶然的。

另外一只看不见的手

虽然从流动匪帮到固定匪帮的过渡会给匪帮首领本人及其臣民带来收益，但是这个过渡并不是由于社会契约或者其他任何自愿交易所引起的。它也不是那只使自愿交易可以实现社会利益的看不见的手起作用的结果。然而，一个流动匪帮安定下来并占山为王而导致的产量与相互收益的提高，是因为激励动机发生变化的结果，也就是说，在我提供的固定匪帮的模型中，令人惊奇的好结果的出现与善良的愿望是没有关系的。

因此，当从对权力的破坏性使用转到对权力的建设性使用的时候——就如霍布斯所说的"人人为战"的状态被一个专制政府的秩序所取代的时候，结果的改善就会产生，这要归功于另外一只看不见的手。这只看不见的手——或许我们应该把它叫左手——在共容利益指引下使用权力，其后果至少在某种程度上与社会利益是一致的，[13]即使其实现了公共物品的供应，也不是基于善良的愿望去做的。与斯密所谓的第一只隐藏的手相比，这第二只看不见的手并不为人所熟知，而且也许还有点与人们的直觉相悖，但是这并不是说它不重要。由于还没有令人满意的关于权力、政府和政治的理论，或许也没有令人满意的政府对经济行恶和行善的理论，从而使人们忽视了第二只看不见的手的意义。

奢侈的消费

乍看起来，一个专制者的消费额——即使应该是非常奢华的——似乎与一个国家的税收收入没有多大关系。我们内心的想法是,一个专制者利用税收所得的极为微小的部分就可以购买她想买的任何东西,因此,她就不会如本章的逻辑所预言的那样,从社会中拼命榨取她能榨取到的收益。不过,这种想法却是不恰当的,因为我们认为(除非我们自己也是专制者)消费就是个很铺张浪费的概念。菲律宾前总统夫人伊梅尔达·马科斯的3 000双鞋子以及其他奢侈物品的费用加在一起,也比不上金字塔、凡尔赛宫和泰姬陵所耗费的钱财多。专制者的国家就是一个以专制者自身为中心的舞台。

对一个专制者来说,追求奢靡就意味着他必须和其他国王或者独裁者进行互相攀比,这常常意味着不仅需要奢华昂贵的面子工程,还需要夺取更多领地的军队与战争。

因此,很多例子证明即使专制者能够攫取很多他所能攫取到的税收,但是他还会花费很多财力去实现自己的目标,从而导致其统治是非常短命的。这种现象我们可以从西方历史上一些大专制王朝中发现。罗马帝国毁于其苛捐杂税;西班牙哈布斯堡王朝榨取税收挥霍无度直至债台高筑;法国波旁王朝同样如此,其政权也因为财政危机而崩溃。我们后面将要看到的苏联的税收名目繁多,税负沉重,导致最后无法获得更多的资源来维持其政府的运转。

专制统治与大多数人统治的比较

刚刚构建的专制模型表明,在一个社会中,一个稳定的专制者的共容利益会使他限制自己窃税的程度。虽然专制者的共容利益意味着他会使用他所控制的一些资源去提供可以增加其领地产量的公共物品,但是他这么做只是为了扩大他自己从社会中攫取的纯收益量。因此,专制者获得的收入源于非常高的代价,即通过很高的再分配比例将其臣民的收入转到专制者手中。

民主国家如何从这个意义上与专制国家相比较呢？不同的代议制政府有不同的结构与程序，因此对结果也会产生不同程度的影响。从分配意义上说，理解民主国家与专制国家区别的最容易的方法，就是从最简单的民主制国家开始，所谓最简单的民主制国家，就是指有两个总统候选人或者两个成熟的政党去寻求建立一个完全在大多数人利益基础上运转的政府。这个初始性的假设，就如我们将看到的，是非常适合代议制政府的，因为它意味着一个社会是由一个更加具有共容利益的团体而不是由不断变化的小政党联盟所统治着。在后者的情况下，每一个小政党都只代表社会中一小部分人的利益，或者说，社会只由代表特定行业、职业或者其他狭隘利益的特殊利益集团所统治。我将在后面探讨狭隘利益对民主国家的影响。

我会始终避免通过假设民主统治比专制统治缺少更好的动员而给予民主国家以更多的偏爱。为了公正和理论的简约，我假设民主政治的领导人和专制政治的领导人一样都是自私自利的，他们都试图以机会主义的态度获得绝大多数的人支持。

选举中针对效率的刺激因素

对两党制民主国家的研究告诉我们，现任领导人总是喜欢吹嘘说"你们从来没有如此好的政绩"。现任领导人显然不会像自利的专制者一样给自己的统治落个这样的名声，即从社会中为自己聚敛最大可能的盈余，在民主国家我们还没有发现这种事情的发生。但是，如果我们假设执政党或者现任领导人会简单通过使所有的选民过上尽可能宽裕的生活从而增加他再次当选的机会，那我们就太过于偏向民主制了。

一个候选人只需要大多数的票数就可以赢得选举，因此他可能通过把收入从所有人转向可能的大多数人来"收买"大多数人的选票。为了这样的转变而做的税收调整会影响到激励因素进而影响到社会产出，就如专制者将再分配偏向于自己一样。这种通过税收调整而收买选票的竞争会与理性的专制者所做的一样对社会激励机制产生扭曲作用吗？

也就是说，一个拉选票的民主国家的领导人会与专制者一样有动机去把税率改变到国家岁入最大化的水平上吗？

虽然大多数人统治与专制统治一样都拥有社会的共容利益，因为他们都控制着税收征收权，但是，大多数人统治下还能获得社会中重要的市场收入份额，从而使其拥有更强的社会生产上的共容利益观。大多数人在市场中的利益使其再分配给自己的利益要比专制者再分配给自己的利益少得多。如果考虑到在最大化税率情况下一个民主制度下的大多数人所面临的下面这样一个选择，我们就会发现这种状况更加明显。税率上的细小变化不会改变税收总入。税率极小的增加会减少国民收入，尽管这样可以获得税收上更大份额的收入，不过总的税收额变化是不大的。极小的税率减少会充分地增加国民收入，虽然这样在税收上会获得较小份额的收入，不过总的税收所得是不变的。对专制统治者来说这是最优税率，因为只有通过税收的变化，国民收入的变化才会影响到他的收入。

但是，在最大化的收入税率下，大多数人统治注定可以通过税率的减少增加自己的收入：当国民收入增加时，不仅可以从更多的国民收入中征集税收，也可以从市场中获取更多的收入。因此，大多数人统治下的最优税率注定会低于专制统治下的税率。假设岁入最大化的税率是三分之一，大多数人统治可以在市场中获得三分之一的国民收入。这个简单的算术例子可以说明问题。理性的专制者会发现，他从税收中攫取的最后1美元会减少3个美元的国民收入，该损失的三分之一（1美元）就是他的损失。所以他会选择维持这样的一个收入最大化的税率。但是，如果一个大多数人统治也选择这个同样的税率，那么伤害的就是自己，因为他从税收中获得的最后1美元会使其损失2个美元（与专制者同样失去的1美元，加上市场收入的1美元）。所以大多数人统治会选择比专制者统治更低的税率以及再分配给自己更少的收入以使自己的总收入最大化。读者如想了解更多关于这个命题的正式证据和各种相关的结果，可以参考前面提到的《专制与大多数人统治的经济学分析》

一文。

互惠的规则

从更一般的意义上讲，当国民收入下降到任何统治者所能获得的互惠性收入分享份额时，居于支配地位的统治者，无论是专制者还是大多数人或者其他任何统治者，就不会采取倾向于自己的收入再分配机制。如果岁入最大化的税率是二分之一的话，其最后的税收所得意味着国民收入下降2美元，一个专制者就不会增加税收。而一个大多数人统治者在市场中获得国民收入的五分之三，并发现最优的办法是把五分之一的国民收入攫为己有，那么他必然会从其最后的再分配中减少四分之五（或者1.25美元）的国民收入。因此，共容利益越大，也就是说将全部所得相加所获得的国民收入份额越大，那么从偏向于自己的再分配中所带来的社会损失就越少。

同样的互惠规则决定了居支配利益地位的统治者会花多少钱在公共物品的供应上。我们知道一个专制者从投在公共物品供应中所获得的收益会一直到他在互惠性的税率下投在公共物品供应上的最后1美元会增加国民收入为止。当然，专制者的税率决定了他的收入份额。居支配地位的人从公共物品收益中取得的分享份额一定是更大的：从社会收入的意义上讲，这个份额是由他再分配给自己的收入加上他获得的一小部分市场收入。一个从市场中获得收益的再分配性的支配利益者会继续投资于公共物品的供应，直到他用于供应的最后1美元将国民收入增加到互惠性的份额为止。前面假设的获得五分之三市场收入并将五分之一的社会收入攫为己有的进行再分配的大多数人，会从投资于公共物品供应中获益，一直到国民收入增加到四分之五美元的程度。正如一个更共容的利益观会使统治者为自己再分配更少利益一样，他也会花费更多的资源用于可以惠及整个社会的公共物品的供应上。

要记住的是，同样的互惠规则既决定居支配利益地位的人不会从再分配于自己的利益行为中获益，也决定他会将多少钱投资于公共物品的供应上。这种互惠规则对所有类型的政权——不管是民主体制还是专制体制——都是适用的。[14]

尽管上面提到的观点只涉及大多数人统治，但是它也适用于任何从市场中得到部分收入而同时又控制政府的那些居支配利益地位的人，不管支配利益是少于还是多于大多数人利益。支配利益者从市场中获得的收入，再加上由于它控制财政而从社会生产中获得的利益，必然给予他比一个专制者更共容的利益观。因此，他就会承担再分配给自己利益的行为中更大的社会损失份额，也会从公共物品收益中获得更大的份额。

同样，由于与只代表社会获益能力更小部分的支配利益相比具有更共容的利益观念，代表社会获益能力更大部分的支配利益会再分配给自己更少的收入，而将更多的资源用于公共物品的供应上。例如，像美国或者瑞士这样的民主国家具有制衡机制，如果出现更大多数人一般所要求的重要政策变化问题，那么居统治地位的更大多数人会比那些只代表社会获益能力更小部分的大多数人再分配于自己更少的收入，并愿意提供更多的公共物品。

更具共容利益观的大多数

令人惊讶的是，有时大多数人特别是更大多数人在社会中具有充分的共容利益，他们愿意——并非出于纯粹的自我利益——放弃对有利于自己的再分配，并像对自己一样对待少数人。他们会提供与社会全体一致接受的帕累托有效或者与社会理想供应水平相一致的等量公共物品。一旦存在一个更大范围的共容利益，指引共容利益使用强制性权力的第二只看不见的手就会以与所有人利益相一致的方式工作。在这种情况下，第二只看不见的手，就如在完全市场下的第一只看不见的手一样，都会在帕累托有效的基础上起作用，[15]即使那些有能力获得他们所要得到的东西的人，在这种情况下也会什么也得不到的。

尽管这个结论初看起来似乎与所有的制度以及常识都是抵触的，但是如果细做考虑的话，就会有一个简单的且直接的解决这个矛盾的办法。将狭隘和共容利益的理论中的两股重要力量结合在一起，会产生让人惊讶的结果。

第一种力量存在于社会或某块领地下利害关系的广度与从中所能得到收益的程度之间的关系上。我们已经知道在人口众多的社会中单个的犯罪行为只承担其掠夺行为对社会造成的很小部分的损失，所以他不会去计较这些损失的。我们看到，黑手党家族就会在乎其掠夺行为所带来的损害，专制者会较大程度地削减窃税率，那些从市场中获益的居于支配利益位置的人也会限制再分配给自己的收入。而且，我们还提到，随着居于支配利益位置的人获得市场收入份额的增加，它从再分配给自己更少的收入中也获益。随着利益变得越来越共容，这种窃取收入的下降趋势与税收和偷窃变化带来的激励动机的变化是有关的。尽管在经济学中我们有时发现，为了理论的目的去设想一个一次总付的税收——假设其对激励因素没有影响，但是，现实世界中所有税收的变化都会影响到激励因素，[16]而且甚至在很多情况下，由于税收引起的社会损失都是从税收中所得的很多倍。

因此，当我们认为大多数人统治获得社会收入越来越高的份额时，我们必然会有这样的看法，即大多数人统治承担着再分配中其必然失去的社会损失的很大部分。这种状态即使在以下情况下也确实是真实存在的，即当再分配带来的社会损失凑巧是很小的时候，或者当再分配税减少社会收入 2%时，居支配地位的利益群体获得 99%的收入，但是其还是从这种强加的税收中有所损失。即使社会损失不超过 2%，在共容利益与整个社会利益等同之前的任何阶段，仍然会存在因为强加的再分配税所带来的损失问题。

如果把它与我们理论所阐述的第二种重要力量——一把剪刀的另一刀片——结合在一起，这个逻辑的巨大实践意义就是非常明显的，即共容利益所存在的提供公共物品的动机问题。[17]我们知道固定的匪帮会利用他控制的部分资源去提供公共物品，直到他从公共物品中获得的社会边际收益份额等于边际成本的时候为止，所以采取50%最优税率的一个专制者会供应公共物品，直到他从公共物品中获得的一半收益等于他供应公共物品的成本为止。如果一个从市场中获益的大多数人统治代替专制者统治时，他会获得公共物品收益中更大的份额，因而会供应更多的公共物品。居支配利益的人获得的收益部分越大，他为了自身利益而供应的公共物品就会越多，那么，就需要一个更高的税率来足以支付这些公共物品的成本。

使大多数人统治愿意征收更多的税收去供应公共物品的更多的共容利益，会意外地与第一种重要力量相冲突：它会承受因为税收而带来的更大份额的沉重损失。由于再分配性的税收一定要增加到足以供应公共物品的税收水平上，它必然会带来更大的损失问题。就如我们所看到的，即使在没有税收征收以供应公共物品的情况下，也必然会存在社会从执行再分配税中引起的绝对损失问题。由于税收是用来资助公共物品供应的，一个利益群体会随着其利益变得越来越具有共容性而愿意增加其投在公共物品上的资源。由此引起的是，那些不想与整个社会利益一致的(因而盘剥少数人利益)更具共容性的利益群体，在将收入从少数人再分配给自己的过程中会有所损失。因此，剪刀的两个刀刃必须合在一起，才能切断这种再分配以及剥削少数人利益的动机。

如果居支配利益者没有动机去为自己进行再分配，他还会试图用税率去协调支付公共物品的负担与从供应公共物品获得收益的平衡问题。因此，更大范围的共容利益，尽管可能是自私的，也会提供他们本该提供的同量的公共物品，如果他们对社会效率完全给予善意的关注的话。在所有的情况下，他们都会对少数人像对自己一样。那些想得到这些命题的正式证据的人可以参看前面提到的《专制与大多数人统治的经济学分析》一文。

虽然并没有假设认为大部分的大多数群体一定是具有共容利益的，

但是有些还是绝对是的。在我们中心一位研究助理汤姆·波佐(Tom Bozzo)的帮助下,我们利用计算机程序去计算对居支配利益群体的再分配是不是对从社会的市场收入中获得特定部分收益的支配利益群体是最优的。这个程序对不同的支配利益群体从市场收入中获得的每个大量的特定收益部分都进行了多次计算。模拟的结果非常清楚,也就是具有更大范围的共容利益是许多真实世界环境的一个特征,它们并不是完全少有的。

假设将国内生产总值的四分之一投到公共物品的供应上是符合大多数人的利益的,并假设任何超过这个必要性去供应公共物品而利用额外的税收都会减少国民收入的三分之一。那么,可以获得国民收入四分之三多的利益群体是不会从对自己再分配收入中获得收益的。在民主政治体制中,在许多关键的决策上,需要依赖制衡以及更大多数人支持的原则,因此,最低数量的多数人常常并不能自行其是,在民主国家,常常只有更大的共容利益群体才会得人心。进一步说,就如威廉姆·尼斯坎南(William Niskanen)在把我早期的看法进一步扩展开来的时候所指出的,代表中间以及靠上收入人群的最低数量的多数人也会反映社会获得能力的一大半以上。[18]这样的大多数群体在社会中显然有时也是代表更大范围的共容利益的。

其他的一些含义

我们现在已经考察了那些不考虑社会利益的狭隘利益的权力逻辑,以及具有共容利害关系的那些会导致他们像完全行善一样行为的自我利益的权力逻辑。我们还知道,在一个连续性统一体中存在两个极端,不同点上的结果取决于拥有权力的利益与两个极端之间的紧密程度。

在本部分的分析中,我们认为每种利益都会从长远来考虑问题,也就是说经济学家所指的"巴罗无限的编制视界"(Barro infinite planning horizon)。由于每一种利益都有其长远的利害考虑，所有前面分析的结果都会保持在一个近似值上。

在现实生活中，有些利益方是没有理由去考虑长远的东西的。对非常狭隘的利益方来说，这一点没有多大意义，他们不会或者很少考虑到社会利益，不管他们是在长远还是短期的基础上考虑问题。但是对共容利益方来说，意义就完全不同了。

还有一个时间谱的问题，随着与权力结合的利益的计划时间段变得很短，它也不会考虑到社会利益，不管这种利益可能有多广泛。下一章讨论时间维度的深刻重要性，特别是它对我们理解民主国家与专制国家的经济绩效的重要意义。

注 释

① 众所周知，如果诸如卖方垄断或买方垄断之类的市场不完善暗示了工资不等于边际社会产品，这一结果就不一定成立。这些市场不完善意味着：市场不会按完全有效或帕累托有效的方式分配该前罪犯的时间，但对于个人和公司出于私利的选择和社会的收益之间的高度相关性而言，这些市场不完善也决不意味着会排除这种相关性。

② 例如，参见 Diego Gambetta, *The Sicilian Mafia*. Cambridge, MA: Harvard University Press, 1993。

③ Mancur Olson, *The Rise and Decline of Nations*. New Haven and London: Yale University Press, 1982.

④ James Sheridan, *Chinese Warlord: The Career of Feng Yuhsiang*. Stanford: Stanford Uni-versity Press, 1966.

⑤ 出于结果的清楚和可比较这一目的，我假设在对独裁统治的分析和对多数人民主的说明中，所有的税收都是线性的或平直的，所收取的税收占所有收入的一个既定比例。其后，在讨论斯大林及其追随者所发展出来的复杂的隐形税收体系时，我考虑了当税收种类变化时，这些结果会如何变化。

⑥ 尽管伊本・卡尔顿(Ibn Kalduhn)和约瑟夫・熊彼特(Joseph Schumpeter)没有引入共容利益这样的概念，也没有提出目下的论点，但他们

(前者在14世纪,后者在二战时期税负颇重的奥匈帝国)指出超过某一点之后,高税率会减少税收。参见 Ibn Kalduhn, *The Muqaddimah: An Introduction to History*, Franz Rosenthal, trans. Princeton, NJ: Princeton University Press, 1989;以及 Joseph A. Schumpeter, "The Crisis of the Tax State." In Richard Swedberg(ed.), *The Economics and Sociology of Capitalism*. Princeton, NJ: Princeton University Press, 1991。

⑦ 当既有黑手党家族又有定居下来的歹徒时,固定匪帮的窃取税率与窃取的总税率相比如何呢?如果既有黑手党家族又有利益最大化的独裁者攫取资源,前者收取保护费式的勒索税和独裁者所征税两相合并,就会高于两者中只有一方征税的情况。例如,如果黑手党头目决定征收多少的保护费式勒索费,而他又清楚因征收保护费周围人们的活动会受到遏制,但他注意到部分损失会表现为较低的政府税收这一形式,所以在决定征收多少保护费式收费时,黑手党家族就没有动机去考虑这些损失了。而如果某个黑手党家族像我们前面提到的定居下来的匪帮一样足够的强大,以致其保护费式勒索收费是当地唯一要缴纳的税收,那么对民众所征收的总税收就会较低,而周围四邻的收入就会较高。也就是说:在同一领地上,独裁者之间为权力而争夺其治下的民众是件坏事,而单一独裁者垄断权力对民众而言要好一些。

⑧ 税收窃取所导致的固定负载损失随着窃取税率的提高而提高,而且很可能是超过比例的增长。那么,随着税率的提高,固定负载损失增长得越快(越慢),对定居下来的匪帮而言最优税率肯定就越低(越高)。然而,固定负载损失函数有可能形状并不规则,这会使得上述的命题并不成立。为了集中讨论我所认为的最为可能的情形,而且在讨论中保持最大可能的简洁,我自始至终都假设:税收所致的固定负载损失随着税率的提高而稳步地且超过比例地提高。对于此讨论中的求最大值的二阶条件,参见 Martin C. McGuire and Mancur Olson, "The Economics of Autocracy and Majority Rule: The Invisible Hand and the Use of Force." *Journal of Economic Literature* 34:72(March 1996)。

⑨ 在每个窃税率上,尽管所征之税随着公共物品提供的水平而变动,但是最优税率或者说税收最大化的税率并不随之变动,而这正是我所假设的。故而,定居下来的匪帮首先选择其最优的窃税率——而这就决定了他所得到的公共物品收益的比重,其次他才选择对他而言最优的公共物品提供的水平。

⑩ 当公共物品仅提高生活的质量,而并不增加产量和应税收入时,结果就会不同了。例如,如果空气污染的减弱使得生活更为愉快,虽然工

人的健康状况得以改善，却对应税产出没有影响，这时除了定居匪帮和受制于他的人生活在相同的空气里这个考虑因素之外，此定居匪帮就不愿在改善空气上花费资源了。为了避免极少增加或根本不会带来任何洞见的无谓的复杂性，我在本书中假设所有的公共物品都是制造者的公共物品，也就是说，是生产性过程中的投入，它对生产出任何的和所有的收入来说都同样是必需的。

⑪ Martin C. McGuire and Mancur Olson, "The Economics of Autocracy and Majority Rule: The Invisible Hand and the Use of Porce." *Journal of Economic Literature* 34:72(March 1996).

⑫ 正如下面一章所解释的那样，甚至是在历史上，那些更为引人瞩目的经济发展和文明进步的实例，大部分都是发生于相当民主或非独裁的社会中的，如古代的雅典、罗马共和国、意大利北部的城邦国家、17世纪的荷兰和光荣革命(1688—1689年)之后的英国。在19世纪，美国和其他实行代议制而非独裁统治的社会出现了显著的经济进步。

⑬ 在分析民主政体时，我们会发现有些多数人统治是如此广泛包容，以致这些人具备同社会的利益完全协调一致行动的动机。

⑭ 如果居于支配地位的利益包括了社会上的每个人，其所得收入的比重就不是一个分数而是全体了，即是1或者说是100%。尽管倒数规则仍然适用(因为1/1=1)，但是它现在不能告诉我们任何新东西：它只不过是换一种方式陈述经济理论中一个为人熟知的观点，即将每个人都考虑进来并最大化总福利的社会，会在公共物品上投入，直到公共物品的边际社会成本等于其边际社会收益。包括了每个人的居支配地位的利益显然也不会为自己而再分配任何东西：将税收提高到超过为公共物品提供资金所需的水平，并向自己做剩余分配，居支配地位的利益会由于扭曲动机的税收而遭受损失，且没有任何的回报。(如果这样一个社会一致同意将收入分配给它的较为贫穷的成员的话，这样的再分配就是一个公共物品，对其的分析不应采取通过运用政治权力再分配私利的方式。)有趣的是，这一情形也适用于本章后面部分所考察的更广泛的多数人统治。

⑮ 也就是说，对此社会后果所能提出的唯一的反对意见，涉及挣得收入的初始禀赋或能力的分配。考虑到初始禀赋，不可能做到让任何人的状况变好而不会导致另一个人的状况变差。

⑯ 有些人错误地认为，持续性的"人头"税——要么付税，否则人头落地——是一种总量税。如果这种税收持续下去，只有在杀头的危险让人觉得可信，故而有些时候确实有人因此而被杀头时，该种税收才能

被收上来。但这样的惩罚(像人头税自身一样)不仅会影响到人们的动机,使得纳税人不得已逃到另一块领地上去;而且会减少从事生产的人和纳税人的数量。所以,甚至这一税种也会改变人们的动机和产出的水平。

⑰ 因为在无政府状态下,从事生产的动机趋向于消失,所以假设公共物品对于产生任何的和所有的收入都是必需的。

⑱ William A. Niskanen, "Autocratic, Democratic, and Optimal Government." *Economic Inquiry* 35: 464—479(July 1997).

2

时间、收入与个人权利

当一个流动的匪帮首领有权力去窃取并安全地控制一块领地，使自己成为这块领地上独断专行的人的时候，这对一个无政府社会来说会有很大的好处，而如果没有的话，对社会来说则会有巨大的损失。要理解这种损失，我们需要先考虑长期投资对社会的好处，以及对确保专制者地位的好处究竟是什么。

我们知道，只有在高投资率的情况下经济才会产生最大化的收益，而且，也只有在做出投资的前提下，人们才会把更多的回报用于长远的投资。因此，一个拥有长远观点的专制者，就会试图让他的臣民确信他们的资本会永远地得到保护，不至于受到别人的偷窃，也不至于因为专制者自身因素而被充公掉。如果其臣民担心资本被没收的话，他们将不会做更多的投资，从长远来说，这将减少专制者的税收所得。

为了在一个既定税率下取得最大的收益，一个社会必须公正地执行契约（包括涉及长期贷款的契约），更多的收益只有在长期的基础上才可以再次产生。为了从长期契约执行中获得好处，一个国家还需要稳定的货币。那些定居一处的匪帮首领就会有最大化的税收所得，他的臣民就会在他的领地的生产中得到最大的利益。当然，这需要首领绝对采取长远的政策，因为只有这样，其臣民才会绝对相信他们的私有财产权利及契约执行会得到永远的尊重，并且货币会保持其完全的币值。

假想一个专制君主只关心一年这样的期限里的所得。他会从侵占任何便利的资本资产中得到收益，而其一年所得的税收是少于他原本获得的税收所得的。[①]他会想方设法逃避执行契约，拒付债务，并且不断发行新币（尽管这最终会引起通货膨胀）以谋取眼前之利。

因此，当一个专制君主不去考虑社会的产出时，他的激励动机就如一个住所不定的匪帮首领的行为一样。[②]正如人类进步的一个让人惊奇的原因，是由于流动的匪帮定居下来成为统治者以后激励动机的变化所带来的进步一样，人类历史上许多侵吞与衰退现象也是由于那些专制者——不管他们的头衔是什么，也不管他们受到多少的吹捧——常常倒退到本质上是一个流动匪帮地位的缘故。

由于一个专制君主无论其多么可靠或者眼光长远，但是都可能难免受到那些使其采取短视行为的事件的困扰，专制体制下的臣民总是面临他们的资本被没收，债权被剥夺，或者货币贬值的风险。这些风险降低了储蓄与投资的总量，即使存在一个稳定可靠且具有长远目光的君主，情况也是这样。理性的君主由于有兴趣去增加其臣民进行投资和贸易的行为，从而有动机让他的臣民相信他不会以任何方式聚敛财富。但是君主的承诺是不可靠的，因为其承诺得不到任何来自司法或者其他独立权力部门的制约，也就是说君主可以跨越所有的权力部门。由于这些因素，以及专制者总是存在采取短视措施的明显可能性，其对臣民的承诺是永远不可靠的。因此，上一章提供的关于理性的自利君主模型对专制君主下的经济绩效其实是太乐观的，它假设专制君主总是抱着长远的观点，而其臣民也相信其主子会一直这样做。

实际上，在任何专制君主统治的社会里，怀有与流动匪帮首领一样动机的专制君主迟早注定是要出现的。而且，就如我们所预测的，历史上君主与专制者犯下的没收财产、拒绝支付债务、强迫货币贬值以谋私利的例子实在是不胜枚举。

“国王万岁”

拥有绝对权力的统治者不可能在一个社会里创造另一个独立的权威以确保权力的恰当和有序继承。任何拥有充分权力以决定新统治者的独立权威机构都可能危及现任统治者的地位。因此，绝对的专制者面临继承危机的风险是与生俱来的。[3]最近非洲和拉丁美洲发生的许多事情是明显的，那里的专制统治者对继承危机以及未来的不确定性极为敏感。也许，关于君主们对时间见识的重要的最有趣的事例，来自历史上人们对君主万寿无疆的关切，以及社会对王朝普遍抱有的良好期望。我们当然有很多理由期望国王行善，但是国王的臣民，如前面所述，当他们在说“国王万岁”的时候有更多的理由成为一个忠诚的良民。如果国王考虑到并珍视王朝的存续，并且具有更长远的见识，那当然对其臣民是件最好的事情。

且不说国王的长子几乎不大可能在心智上是最能胜任王位工作的合适人选，历史上王朝普遍的存续问题很大程度上与一种本能的直觉有关，也就是说当统治者采取长远眼光看待国家大事时，一块领地上的任何人（包括现任统治者在内）都可以获益。在一个绝对主义统治的政权下，如果存在谁可能是下任统治者的共识，那么这对所有人都是有好处的。即使在当代也是如此，因为这不仅会减少围绕继承问题的战争，也会增加经济信心以及投资、收入和税收所得。因此，在专制政体下，王位更替可能是一个社会性的要求，因为这既可以减少继承危机的可能性，也可以使君主对长期效应和社会生产予以更多的关注。

匪帮的终结

我们已经知道，尽管第二只看不见的手会使专制统治者期望长治久安，从而对其领地的生产特别关注，但是他仍然会为了自己的利益而从社会生产中榨取自己最大化的收入。而且更糟糕的是，一旦一个专制统治者完全采取杀鸡取卵式的短视眼光，他就会从私利出发，没收其臣民的财产，撕毁任何他与其臣民签订的契约，并利用铸币权滥发货币以谋利，尽管这样会贬低币值。因此，不管在固定匪帮统治下会有历史进步这样的事实，专制统治下的臣民宁愿自己来保障自己的收入，他们需要财产与契约权利的安全，而不愿意让其落入到一个流动的匪帮手中，这是很自然的事情。

因此，即使我们不论民主的伦理诉求以及对匪帮的道德憎恶因素，我们仍然应该去追问专制统治政体如何被其他政府统治形式所取代这样的问题。专制者经常会被推翻，或者因为其军官组织政变，或者他们被其卫官刺杀，或者由于经济管理不善从而使他们无力为继，或者因为自然死亡而被埋葬。因此只要一个专制统治期结束，其他的都会结束，最后就会出现继承危机问题。但是每个专制者总是经常被一个其他固定的或者流动的匪帮所代替，只有在特殊的情况下，一个专制政体的结束才会被一个民主政体所取代。

那么，在什么特殊情况下，会出现民主政体，或者至少是代议制或非专制政体来取代一个专制政体呢？由于有些完善的非专制、代议制以及相对民主的政府是在普遍公民选举权之前出现的，我们应该集中注意一个政府是否通过对选票的自由政治竞争来选择成为代议制的，而不是关注它是否赋予普遍的公民选举权这样的问题。从这个意义上，我们应该把民主——就如约瑟夫·熊彼特所做的④——视为一种制度，在该制度中现任政治领导人由于政党或者其他团体自由选举竞争的存在因而是可以选替的。尽管选举权的范围对解答某些问题是很关键的，但是它不是专制政府被代议制政府取代的关键因素。现代历史告诉我们，有限选举权的代议制政府过渡到普遍公民选举权的代议制政府是一个普遍趋势，但是这样的过程具有与我们现在所讨论的问题不一样的逻辑。

一个特殊的情况可以解释向民主政府的过渡是由于外在的影响，或者由于外在强有力因素施加在一个政府上所导致的。例如，当民主国家在战争中击败专制国家时，就会出现强加民主的现象。显然，最富裕的或者技术上最先进的国家常常是民主国家，民主国家在与专制国家的军事竞争中常常占上风而不是相反。[5]第二次世界大战后，胜利的民主国家将民主制度强加给联邦德国、日本和意大利人民，这些国家的人民由于对专制政权统治的恶果记忆犹新，因而乐于接受民主制度。因此，外界的压力与影响可以解释有些国家出现民主政治的原因。

民主的自发产生

但是，对那些由于内部自发因素而导致向代议制过渡现象的解释却是困难的。当然，我们可以很容易地说，这些国家由于得益于成熟的民主文化或者无私的政治领导人，所以自动走到民主政治。既然我在分析专制政治时借用了罪犯的比喻，我就不该再立足善良动机因素来解释民主的起源。相反，我必须力图通过扩展我解释专制的简约理论来解释向民主的自发转型现象。

我的理论认为，民主政治自发出现的一个关键条件是不存在产生专制政治的常见的一些条件。有一个需要解释的工作，就是为什么组织或者协助推翻专制政治统治的新领导人，不会使自己成为一个新的专制者。我们已经看到专制是最有利可图的行当，许多政变和叛乱者一旦夺权后很快就会变成专制者。因此，这里的理论假定，当那些促使专制政权垮台的人中，没有一个个人或者团体领导人能够使自己成为专制者时,民主就极可能同时出现。

这样我们可以推测,专制可以被防止,而有些历史偶然事件会导致一小群领导人、团体或者家族之间形成权力平衡,也就是说,权力的平等分配使任何一个领导人或者集团都会很谨慎地避免获得大于他人的权力,这种情况使民主成为可能。然而,这种推测本身还不会给我们一个独创性的结论,它只是指出了历史和政治学文献里关于民主起源论述的最主要归纳发现之一。如果这个理论是正确的,那么在我们熟知的关于英国历史的辉格学派的解释中,以及如政治学家罗伯特·达尔(Robert Dahl)和塔图·范汉伦(Tatu Vanhanen)对民主的论述中,这个理论一定包括一些重要的真实的成分。⑥历史和归纳研究方面的文献认为,英国、美国及其他地方代议民主的自发产生,是与权力的多元分配有很大关系的。

不过,我们还是有必要再次回到该理论的逻辑上,以发现代议制政府自发产生的另外两个进一步的必要条件。即使当权力的平衡使任何一个领导人都不足以完全控制其领地,领导人也完全可以使自己成为小地方的专制者。在一块面积大的区域,权力和资源的分配可以导致小块地方的专制与民主的缺失问题。然而,如果不同的争论团体一致行动以控制更大的地方,那么小地方的专制者也是行不通的。因此,民主自发产生的第二个必要条件就是,不同力量之间存在的权力的大致平衡不会出现破裂,这样就使小块地方的专制统治是不可行的。⑦

第三个必要条件是,不管是由于地理障碍、城墙或者其他幸运的环境等因素,在实施民主安排的地方一般可以免遭其周边政权的征服。⑧在第一章,我们看到,一个专制者从税收中积聚的财富经常要多于他花在公共物品上的开支。在其他条件相等的情况下,一个专制者控制的领地越大,他就拥有越多的税收,也就拥有更多的盈余。因此,正如威廉姆·尼斯坎南在对本书书稿这部分做评论时所指出的,专制者们总是有动机通过侵略去扩大他们的领地。⑨而民主国家因为趋于扩大其领地上的投票权而不会具有这样的侵略动机。

权力分享的逻辑

假设在不同的力量之间存在权力平衡，那么，没有一个领导者能够获得专制性的权力，这样，非专制型政府出现的额外必要条件就能够得到满足。那么，对每一个领导者来说什么是最好的结果呢？很明显，有权力分享比没有权力分享要更好。因此，一个不能成为专制者的领导人会有动机与其他人合作，以形成一个非专制型政府。如果不同的团体混合在一起，并且不只是限定在一个统一的领地上，那么它们的领导者们也许就不能够完全控制住它们。这些领导者们的最好选择就是确立一个代议制政府，作为他们各自团体的代表者，这样彼此可以借此分享权力。没有人会事先知道选举的结果是怎么样的，然而，每个集团通过与其他集团的联盟，可以确保没有一个集团能够持久连续地主导选举。选举以及领导者之间共识性的协议，与领导者的利益及每个集团成员的利益是一致的。

尽管小的狩猎团体可能会做出所有重要的基于共识之上的决定，因而没有必要需要一个全职的领导者，但是，当每个领导者都代表一部分人的利益时，情况就不一样了。和平的秩序以及其他公共物品的提供需要一个拥有等级层次的官僚组成的正式政府，以供应所需的公共物品。政府的等级结构要求其必须拥有足够的权力让公民纳税。显然，它还必须要有足够的力量维持和平。由于还需要军事力量与周边国家打交道，一个政府的首脑一般还要控制军队以及执法部门的官员。

因此，任何政府，特别是那些新政府，必然赋予其领导者能够设计一些可能使其成为专制者的计划的特殊权力。由于来自民主的反对因素总是极为令人厌烦的，而且专制的位子的确充满诱惑，具有很高的回报，代议制政府中的很多领导人总是利用各种机会做终身总统或者其他类型的专制者。许多代议制政府被从其他位子上爬上来的专制者所代替，例如一国的军队领导人。因此，代议制政府中许多分享权力的安排是很难持久有效的。

限制权力的逻辑

我们首先要记住导致小集团领导人分享权力的动机是什么。权力平衡可以阻止领导者自身成为专制者。一旦存在权力平衡,每个领导者都有动机去降低任何可能的专制者成为真正专制者的可能性。这不仅是因为他们看到,窃取更多权力的政治竞争对手可能会利用权力去击垮他的主要竞争对手,也因为他们本身不想成为专制统治迫害的牺牲品。如果权力只掌握在政府行政首脑手中,那么用以防止专制行为出现的机制往往就难以发挥作用,但是,那些同意分享权力的人却有很强的动机去使这些机制发挥作用。重要的是,同样的条件使代议制或者民主政府的自发出现成为可能,并导致限制政府权力特别是政府行政首脑权力的制度结构和程序的相应出现。

代议制政府的财产和契约权利制度

一旦社会中确立了和平的秩序,社会中大部分人就通过生产和对彼此有益的贸易来获得自己的利益。为了有效的生产,他们需要一些可以保护财产权的制度安排。为了从相互贸易中获得利益,还需要一个第三方的执行机构,因为社会中的个人需要确立制度安排以确保合约的执行。因此,界定和保护财产权,以及执行合约和解决纠纷的机制就成为大家的共同利益。那些确立并维持代议制政府的人,因此就会有兴趣在司法制度内强制执行协议并解决协议冲突。

如果法院和司法机关是在政府行政首脑手中控制的,它们可能就与其他政府权力机关一起,被用来扩大政府领导人的权力。如果裁定财产归属纠纷的人听从于政府领导人的话,那么这个领导人就希望申明任何财产都是属于他的。如果反对政府领导人这种做法的人会在政府领导命令下受到惩罚,那么专制政治就会出现。同样但不严重的问题是,如果有力的政治领导人控制住法院系统的话，结果也类似。

因此，那些确立权力分享安排的人有动机去确立财产与合约纠纷解决机制，以及法律解释制度，以让纠纷置于与当事人没有切身利害关系的人手中去解决。如果个人没有这种利害关系在里面，他们就更可能根据自己对事件本身是非曲直的认识，或者说是道德原则与法律原则来做裁定。经验表明，这样的社会安排至少可以运转良好。

要注意的是，在权力分享制度下的人创造的以确保他们不会成为专制迫害牺牲品的结构，也同样保护着财产权和契约权。按照概念来说，在真正的专制体制下，不存在在专制者之上的权力，因而也就没有机制可以确保臣民的财产不被专制者没收。相反，权力分享的真正逻辑在于创造一个可以产生这样机制的代议制政府。

光荣革命

许多从专制向民主转型的事例都不是自发的。20 世纪甚至 19 世纪代议制政府的出现部分受惠于英国和美国代议制政府范例的影响，当然有时也与其他民主国家有关。美国宪法确立的民主受到英国 1688—1689 年光荣革命政治安排的影响，这与那些曾经是英帝国自治领的地区独立以后成为民主国家途径是一样的。

因此，这里重点论述的是英国光荣革命以及一个世纪后美国宪法确立的一种真正的代议制政府。尽管它们没有一直存活到现在——我们这方面的知识是有限的——但是自发型代议制政府还是在威尼斯、佛罗伦萨、热那亚、北意大利和雅典以及罗马共和国的其他一些城市国家出现了。它们是否与我们的理论相吻合或者冲突，这个问题我们应该留给其他人去回答。

让人高兴的是，代议制政府一开始在英国的出现与当代理论展示的关于民主转型的逻辑非常接近。17 世纪中期英国的内战最后没有一个胜利者。英国新教会中的不同派别及团体，以及与其互相结合在一起的其他经济与社会势力，正好非常吻合地配合着。残酷的战斗不断发生，而自克伦威尔以后，没有一方势力可以击败其他所有势力。复辟的斯图亚特国王本可以做到这些，但是他们犯了很多错误，他们试图联合的各种冲突的宗教政治团体最后也成为自己的对手，从而招致其失败。

没有一个胜方领导人、团体或者政治派别能够强大到可以将自己的意志强加在其他团体身上，或者去直接形成一种专制体制。正如前面的逻辑所表明的，代议制和相对民主的政府部分是因为最后没有任何一方可以使自己成为绝对的君主。该逻辑同时还告诉我们，制造光荣革命的那些领导人有激励动机去设计一个权力分享的制度安排，以减少任何人拥有超过他人的绝对权力的可能性。每个握有权力的领导人或者团体最好的选择办法，就是同意设立一个占支配地位的议会，它代表所有各方力量，并限制赋予政府的权力，同时使君主拥有的权力有限化。制造光荣革命的各个独立的领导人与政治团体还设立独立司法机构、签署《权利法案》以及对判例法进行重大变革，总之，他们希望借此防止其他专制力量的兴起。

由于君主权力受到较好的限制，有了独立的司法机构、一个更加稳定的判例法体系以及《权利法案》，英国人开始对很多事情有了相当高的信任度，他们相信彼此之间签署的任何契约都会得到公平的执行，任何私人财产也会相对安全可靠，而他们对政府的批判也不至于遭到迫害。与此逻辑有关的是，我们看到，同样的制度安排与结构减少了那些制定新制度安排的人以后可能成为新专制统治牺牲品的危险，它们同样增加了财产权的安全和契约执行的可靠性。1689 年后英国个人的财产和契约执行显然比以前任何时候都稳定，也正是在英国光荣革命后不长的时间里，英国开始了工业革命。

虽然美国民主政府的出现部分受到英国模式的影响，但是它也与当时美国没有存在单一的政治团体或者殖民压迫有关系。13 个殖民地特性各异，甚至在奴隶与宗教问题上也不一样。总的来说，各个不同的殖民地在英国统治下经历了一定程度的内部民主，并且拥有不同的宗教和经济集团。美国宪法的起草者们当然也利用了权力分配及制衡原理来防止专制统治的出现。而且，与前面所论述的看法一致的是，制衡、法院的独立性以及受到《权利法案》保护的广泛的个人权利，不仅最小程度地减少了独裁政治的可能性，而且保护了财产和契约权利。

有限的行政权力与更强的财产权利

关于意大利北部城市国家的知识（至少对我来说）是非常有限的，那里当然不缺少我们刚才所阐述的逻辑的例子。有时，当重要的家族或者商人为他们的城市组织一个政府时，他们不仅通过投票方式确立权力分享的政治结构，而且力图减少政府行政机构首脑拥有专制性权力的可能性。例如在热那亚，一段时间里政府的行政首脑不得不由外来人担任，这样，行政首脑就不会与该城市任何强有力的家族发生直接关系；而且，他只有固定任期，在任期结束后得离开这个城市，并且被禁止与当地人结婚。[10]在威尼斯，[11]正如本书理论所预示的，这些相同的城市国家似乎拥有比同时代欧洲王国更完善的法院、契约和财产权利，这些城市国家创造了当时欧洲最发达的经济，更不用说文艺复兴时代辉煌的文化成就了。

要保证这些城市国家中大规模积累的个人财产和资本不受没收是很困难的。那些拥有巨大财富的人本身就成为被征借或者以其他专制形式侵占的显要目标。这些城市国家中资本的供给对风险调整中所得的回报也是极为敏感的，这与土地或者其他自然资源供给所得回报的方式是截然不同的。所以，专制统治下的没收和侵占财产行为——因为良好的财产和契约权利应该会特别有助于经济增长——会极大地影响城市国家的经济增长。正如狄龙（DeLong）和谢莱夫（Shleifer）告诉我们的，在中世纪和近代早期欧洲的城市国家中，那些没有处于专制控制下的城市经济增长要比处于绝对专制控制下的城市增长好得多。[12]

持久的民主意味着持久的财产和契约权利

尽管那些设立代议制政府的人有动机去将这些制度结构化以限制

行政领导人的权力以及减少其成为专制统治者的可能性，但是这样做并不一定会是成功的。就如我们所指出的一样，政府的行政首脑一定要有一些可以增加其成为专制者能力的权力。如果那些建立代议制政府的人在限制行政权力方面走得过远的话，那么可能使政府无力快速地行动，从而使其更容易被外部或者国内敌人打败与颠覆。所以，民主国家常常由于这样的失误或者不幸的事件而崩溃。

民主的确立与选举的推行并不必然带来稳定的契约或者财产权利。如果民主本身就不是民主的话，民主制度所赋予的个人权利也是不稳定的。在一个不稳定的民主国家里，财产和契约权利可能会因为一个走向专制的当选领导人而被打折扣。一个脆弱民主制度下的领导人会为了自己的生存而没收资本、贬值货币或者剥夺少数人权利，而这正好使个人权利受到伤害。因此，在民主的形成与个人权利(包括财产和契约权)的稳定之间，也不存在内在一致的必然联系。

但是相反，在持久的民主或者代议制政府与对经济增长至关重要的财产与契约权之间，却存在重要的和关键的联系。这种联系内在于民主得以生存的一些逻辑条件上。显然，如果要让现任政府下台而又没有法治作为辅助，民主也是难以成功的。如果现任政府的反对力量没有法治赋予的自由发表言论和其他包括财产与契约在内的完全的权利，民主也不可能持续下去。而如果连在任政府的这些反对力量也拥有这些权利，那么其他公民也就都会拥有这些权利。

简单地讲，财产权就是涉及个人可以对财产进行买卖的那些权利。正如詹姆斯·麦迪逊(James Madison)所敏锐地指出的："正如人可以说拥有其财产的权利一样，他也拥有权利这样的财产。"[13]因此，法院系统、独立的司法体系以及对法律和个人权利的尊重对持久的民主来说是必要的，而这同样也意味着会带来持久的稳定的财产和契约权。

正如前面分析所告诉我们的，只有那些个人财产与契约权能够被人一代一代地充分并且有信心地预期的时候，这个社会才是稳定的民主社会。而在专制体制下,专制者却是目光短浅的,而且,由于没有一个独立的权力可以确保法律有序的延续,因此一直存在一种不确定性,人们不知道当政的专制者一旦去世以后会发生什么。历史上还没有这样的例子,就是一个长期执政的专制者,会去尊重其臣民的财产和契约执行权。应该承认,民主体制下的政治领导人的任期、任职时间长短及时间性也许比典型的长期执政的专制者要短,由于这个缘故,民主国家牺牲了许多效率。但是在稳定的民主国家,在法治之下,权力的继承是可以预测的,个人权利的裁定与执行绝非是短期的考虑。在稳定的民主国家,许多个人自信地签订长期的契约,或者可以很信任地将财产授托到后几代,或者设立基金会,他们认为这种预期是绝对会持久的,因而也表明在无限的将来,他们的法律权利是稳定和可靠的。

在马里兰大学制度改革与非正式部门研究中心,我和我的一些同事所做的关于所有需要的国家的数据统计工作表明,在一个社会中,民主制存在时间的长度与财产和契约权的稳定存在着很重要的关系。[14]我们还发现,在专制体制下,一个专制者统治时间越长,财产与契约权执行得就越好。这两个结果与我们的理论是完全一致的。

所以,有一点是毫不让我们奇怪的,在那些长久或者间歇专制的国家,虽然资本是严重稀缺的,但也会从这些国家流向那些稳定的民主国家,即使后者拥有充足的资本供应,资本的投入只能获得很一般的回报。同样,稳定的民主国家如美国、英国和瑞士,从契约密集型行业如银行、保险与资本市场活动中得到的收益也最多。尽管经验告诉我们,相对贫困的国家如果有一个很强的专制统治者,并碰巧他也有不寻常的很好的经济政策,这些国家也可能会有急剧的经济成长,但是这样的经济成长只会持续一两个专制统治期。因此,我们没有必要对这种情况感到惊奇,也就是并不是所有享有长时间良好经济绩效的国家一定就是拥有稳定民主政府的国家。

注　释

① 如果一个独裁者的税率低于50%，那么私人所有者会得到超过一半的资本收益，如此，资本物品的资本价值必将超过该资本物品所纳税额的折扣现值。在某些独裁统治下，这会使得私人对资本物品的产权比非私人所有时更不安全。我感谢 Yew-Kwang Ng 提醒我注意这一重要问题。但尽管如此，具有足够长时间预期的独裁者不一定会理性地去没收资本物品，因为这样做会减少投资，而且可能会使其失去产生于连续私人投资的收入中的获益。

② 当战争侵蚀了独裁者对领地范围的信心时，独裁者对其掌控的任何给定疆土的时间预期会缩短，即使他相信他仍将控制某个地方的某些领土。在他所控制领土的边界之内，对独裁者将会控制哪些领土的完全的不确定性意味着流动匪帮的出现。如果有自然形成的边界，或在军事上可以防卫的边界，固定匪帮相对于流动匪帮的优势显然会最大。饶有趣味的是，历史上最早的国家主要出现在某个人类学家所称的"闭合环境"(environmentally circumscribed)的地方，即由沙漠、山脉或海岸所环绕起来的可耕作的地方(参见 Robert L. Carniero, "A Theory of the Origin of the State." *Science* 169：733—738［1970］)。环境上的闭合不仅提供了军事上可行的边界，而且(正如卡尼奥所指出的)限制了战败部落逃向其他可以立足的地方的机会。其次，在这样的地理条件下，社会变革最早阶段典型的交互式民主(consensual democracy)比在其他地理条件下更早地由独裁制国家所替代。

③ 某些非民主的政权可以将其领导人更替问题制度化，但这样的话，它们就不是处于单一的独裁者的绝对控制之下，而更接近于寡头统治。即使这些政权在一定程度上是极权主义的，这种判断也是正确的。在斯大林去世后，苏联的统治变得程式化了，此时其领导人的更迭虽然仍由极少数人决定，但是也依照制度化的规则来进行。但当政治局或其他的几人小组有权决定继承人时，它们也有权限制继承人的权力，甚或废黜该继承人(就像对赫鲁晓夫所做的那样)。

④ Joseph Schumpeter, *Capitalism, Socialism and Democracy*, 4th ed. London: Allen and Unwin, 1954.

⑤ David Lake, "Powerful Pacifists: Democratic States and War." *American Political Science Review* 86：24—37(1992).

⑥ Robert A. Dahl, *Polyarchy: Participation and Opposition*. New Haven, CT: Yale Univerity Press, 1971; Tatu Vanhanen, "The Level of Democratization Related to Socioeconomic Variables in 147 States in 1980—85." *Scandinavian Political Studies* 12(2): 95—127(1989).

⑦ 军事指挥官所统率的部队通常都被分成不同的兵营。这一点,还有军事组织典型的等级制特征,都使得军事团体不大可能演化为民主政体,即使组成这些军事团体的军官间存在着权力平衡。

⑧ 严格来说,还有第四个必要条件,但在我们讨论了集体行动的逻辑之前,这个条件的逻辑是不明显的。这个条件是:必须对权力分享进行安排的不同团体,其数量必须小到足以让自发的集体行动得以发生。假如有成千个具有类似权力程度的不同家庭,出于后面解释的原因,自发的集体行动就无法成功地取得和平的秩序和提供其他公共物品的收益。然后就会出现无政府状态,直到有人攫取足够的权力成为定居的匪徒为止。同意组成非独裁制政府的领导人,其数量必须类似于没有首领或交互式统治的人群或部落中家庭的数量。

⑨ William Niskanen, "Autocratic, Democratic, and Optimal Government." *Economic Inquiry* 35:464—479(July 1997).

⑩ Avner Greif, "On the Political Foundation of the Late Medieval Commercial Revolution: Genoa During the Twelfth and Thirteenth Centuries." *Journal of Economic History* 54(2): 271—287(June 1994).

⑪ Christopher Hibbert, *The Biography of a City*. New York and London: W. W. Norton and Company, 1989, p.49. 我对柯尔(Philip Coelho)提醒我注意这一事例表示感谢。

⑫ Bradford J. DeLong and Andrei Shleifer, "Princes and Merchants: European City Growth before the Industrial Revolution." *Journal of Law and Economics* 36(2): 671—702(October 1993).

⑬ James Madison, *The Papers of James Madison*, Robert A. Rutland, Thomas A. Mason, Robert J. Brugger, Jeanne K. Sisson and Fredrika J. Teute, eds., Charlottesville: University Press of Virginia, 1983.

⑭ Christopher Clague, Philip Keefer, Stephen Knack and Mancur Olson, "Property and Contract Rights in Autocracies and Democracies." *Journal of Economic Growth* 1(2): 243—276(June 1996).

3 科斯谈判、交易成本与无政府社会

本书后面的部分将进一步发展第一章和第二章提出的理论。我们现在倒可以问一问：我们目前提出的理论究竟需要注意些什么？什么是最好的可用的理论？理论是（至少应该是）简单的，但是现实却是极为复杂和令人困惑的，复杂的现实总有得不到理论解释的危险。例如，我们必须对前面所说的罪犯的比喻予以警惕性的注意。引用这个比喻部分是强调这个观点，即我们考虑的只是权力总是被自利地利用。通过匪帮的例子，我们不仅抽象出人性的丰富性和多样性，而且其的确如此引人注目。因此，我们要记住，比如，可能没有固定的匪帮，也许也没有所谓慈善的专制者。

通过把纯粹自利行为的假设运用到对大多数人或者占支配地位人的利益而不是运用到对少数或者一个专制者的分析中，我们就可能去对一个专制者的共容利益与大多数人的共容利益做一个比较，因而就可以确信，大多数人统治的较好结果并不是偷偷或者无意识地用高尚行为的假设来得出的。有时，大多数或者支配者的利益在社会中具有举足轻重的意义，因此这些人对待少数人利益就如同对他们自己的利益一样，从而愿意提供理想数量的公共物品。这一发现是非常重要的，因为它是从这个假设中得出的，也就是说大多数人也是自利的，并且也有避免落入被人视为强盗的顾忌。不过，承认这个假设是重要的，也就是大多数人或者支配地位者的利益是自利的这个假设是完全简化的假设。

我的假设具有出现更大错误的危险，就是会认为大多数人可以足够地协调彼此的行动以满足他们的利益需求。就如我们在后面将要看到的，大多数人以及其他支配地位者会如他们是最优整体一样来行为，尽管这抓住了现实的一些核心内容，但这也是从特殊利益集团中抽象出来的假设。虽然我们在后面会去解决这个问题，不过作一下提醒还是必要的，正如简化对知识进步是不可缺少的一样，如果我们忘记了未被假设的东西，那也是危险的。因此，前面的理论必须附带上这样的警惕：要谨慎地使用它！问题是这里提供的理论怎样与供代替的理论做一个比较。

当然，存在一个不完全例外，即可能第一章和第二章考察的处理这些问题的可供使用的理论其实一无是处。在很大意义上，它们只是一些貌似有道理的杂乱观点与看似时髦的空洞无用之观点。实际上由于缺乏竞争，我所提供的理论可能很容易就处于胜方，因为在“有理论”与“没有理论”的竞争中，前者当然会获胜，即使“有理论”会留下很多有待我们考虑的问题。

然而，在研究文献中出现一个有意思的可供代替的原生理论（proto-theory）。这种供代替的理论总体上还在成型中，还没有完全建立起来，不是很清晰与精确。该供代替的理论的一部分在许多严格的正式模型中展示出来，但是这些模型还缺少普遍性。因此，供代替的理论或者原生理论在它的所有潜力发挥出来之前，还需要额外的发展。我将试图在这一章做到这一点。尽管最终我应该发现供代替的理论将不会做到第一章和第二章中的理论所做到的，但是在很多方面它还是有用的，它将为我们提供非常有价值的看法。我的猜想是，那些喜欢经济学理论的人将会发现本章是本书最有趣的一章。

供代替的原生理论首先是以对市场中自愿交易的类比开始的。许多关于这项理论的最好看法集中在有时被称为芝加哥政治经济学学派的文献中，当然它也得益于那些从其他知识传统中汲取营养的经济学家和经济史学家的贡献。为了理解这种供代替的理论，我们需要掌握贸易获得、交易成本、市场失灵理论以及科斯谈判理论的基本看法。这些看法对职业经济学家来说是很普遍很熟悉的，我们将在接下来的四个部分里探讨“互利交易的起点”、“交易成本”、“市场失灵”、“科斯定理”这四个问题。

互利交易的起点

尽管我们中很多人买过很多我们后来觉得根本没有必要买的东西，但是总的来说我们并不会为我们所做的交易而感到遗憾。公司为能完成交易，卖给我们所需要的东西而感到很愉快。因此，日常的经验告诉我们，许多交易总是互相有利的。尽管那些从垄断者手中购买东西的人比那些从一个竞争性价格市场中购买东西的人要稍微不划算一些，但是他们都在购买他们希望获得的东西。所以即使许多与垄断商进行的贸易，对双方来说也是有利的。

关于自愿交易的这一基本观点足以证明亚当·斯密的那句名言，也就是，市场中自利的各方是如何被一只看不见的手引向为公共利益服务的。当生产者可以通过把自己的产品卖给也认为购买这些产品能够满足自己最优利益的人手中时，他也就获得了自己最好的利益，在这种情况下，斯密的看不见的手是在起作用的。厂商关于生产什么和生产多少的决策是由它们对销售利润、买者的需求状况以及生产成本的预期决定的。总体的市场经济的生产因此是由厂商对于买者进行什么样的贸易是最为相互有利的预期来引导的。

交易成本

刚才所说的东西对所有现代经济学家来说都是常识，尽管它不会像我对自愿交易所强调的那样明显。所以做这样一个说明性的强调，原因在于它会使我们自然去注意一个对供代替的理论很有价值的观点。这个观点就是限制自愿交换与谈判的交易成本问题。正如一直试图确立供代替理论的经济学家和经济史学家既对从贸易和谈判中的所得很在意，也很强烈关注交易成本问题，交易成本在他们看来就是涵盖市场中所有成本与不利的因素。

在超市结账排队的地方，我们会遇到完成交易的雇员们。这些雇员、收银机及其他设备的成本就是交易成本。这些成本和许多其他种类的交易成本就是市场运行的成本。如果一个市场是没有用的，这些特殊的成本就不会有。经济学中无数的关于交易成本的文献都可以追溯到诺贝尔经济学奖获得者罗纳德·科斯的两篇文章。①

科斯很久前就指出，等级制公司里的生产与经营活动原则上可以通过市场来协调。如果等级制公司在竞争性市场中繁荣的话，它们的等级结构必须能够以比市场本来可能引起的更低的成本来协调公司内部的生产和活动，也就是说，比由市场自发协调的单个的工人、原料的供应商以及机器的主人的成本要更低。在一个竞争性的环境下，如果等级制公司生产的东西比市场更贵的话，这个公司是很难成功的。当等级制公司是可盈利的时候，所有利用市场的交易成本或不利因素——在科斯学派的经济学家那里把所有这些合在一起称为交易成本——必须超过利用等级制去协调生产的成本。像奥利弗·威廉姆森（Oliver Williamson）这样的经济学家也用科斯的观点为等级制公司提供了一个非常优秀的解释。②

市场失灵

经济学家们把污染的危害看作是市场失灵的一个原生类型的例子。例如，如果一个工厂的烟囱排出的煤烟污染到附近居民的空气，那么工厂的邻居在承担着损失，但是这种损失并不体现在拥有工厂的公司的成本里。公司支付它利用的劳动力、资本和原料的社会成本，但是它并没有支付其造成污染的社会成本。这样的话，至少其某些产出将会对社会形成成本，而非其表面看上去那样的价值，即应该比买者愿意为其产出支付的价格要更高。

政府可能根据外部性伤害造成的社会损失大小来决定对该公司征收排污费，[3]从而使社会比以前可以产出更大的收入或者福利。如果在排污费征收之前社会状况完全不是帕累托有效的(Pareto-efficient)，而排污费的征收正好可以纠正这种社会无效状况，那么随后就会有真正的收入或福利的增加，而且，还必须有一些对这些收入或福利进行分配的方法，从而使社会中每个人与以前相比至少要好或者更好些。同样，如果一些公司或者个人的行为会附加惠及那些没有支付的人身上(例如，公司培训的熟练技术工人对其他公司也很有价值，然后这些工人离开了原有的公司)，产生这样有价值附带影响的活动实在很少，因此对这种积极效应的附带影响要有合适的补偿，以使社会资源分配处于帕累托有效或者社会理性状态。经济学家庇古(A.C. Pigou)很早前就指出，当存在外部性时，也就是说公司或者个人的活动将成本或者收益强加到那些没有付费或得不到补偿的人身上时，自由竞争是不会导致帕累托有效结果的。[4]

引起市场失灵的外部性特征，是由于存在没有通过市场价格反映出来的“好的”或者“坏的”物品，人们很难向那些得到免费“好的”物品的人收费，也很难处罚那些额外向他人制造“坏的”物品的人。因此，任何具有外部性特点的东西——如果它会对两个或者更多的人产生影响的话——必然也是一种公共或者集体的好的或坏的物品。污染就是公害物品(public bad),更少的污染就是公益物品(public good)。由于更少的坏的物品总是好的,我们可以更准确地用“物品”(goods)这个词来表述。由于非购买者不能被排除在消费这类物品之列,所以外部性和公共物品问题就会出现,因此,我们在市场中无法对这类物品向私人那样去予以定价,为了获得帕累托有效的状态,集体或者集团消费以及某些集体行动或者政府行动就是很有必要的。

当我们理解对两个或者更多方产生影响的外部性问题必然也是公共物品问题时,那么很快我们就会清楚现实生活中有很多这类物品。房东在花园里种植的花让路过他家门口的人身心愉悦,这时候就存在外部性和集体物品。治洪、国防、基础研究、稳定的价格水平、接种疫苗以防止传染病扩散以及法律与秩序所带来的效益总体上都是某种程度上的集体物品。这些物品的好处具有非排他的特点,就是说即使那些非购买者(对这类物品未承担任何生产成本的人)也不能被排除在享用之外。

外部性或者集体物品中存在的非排他性的特点同时也是自由竞争下社会无效所以出现的一个根源。如果某些个人为了减少空气污染而减少开车,那么那些毫无约束地驾驶的人和约束自己驾驶的人都会得到这些人少开车带来的好处。因此,直到科斯定理出现的时候,所有的经济学家都同意自由竞争会无法有效地处理外部性和公共物品问题。由于在个人付费购买集体物品与免费享用集体物品之间不存在或者存在很少的联系,因此,这类物品一般来说在没有政府强制征税或者其他强制措施的情况下是不会被充分提供的。由于科斯开创性的论文是关于社会成本问题的,这个观点并没有以任何方式为人们所广泛接受。

科斯定理

尽管只是很偶然的因素,科斯的观点才被人们认为是一个定理,但是之前它还主要被人们作为一个例子来看。设想农场边上有一个牧场，牧场主的牛践踏了农场的田地。在科斯定理之前或者在庇古的理论中，这种状态是一个毫不含糊的必然导致市场失灵的外部性问题。牧场主人不会去考虑他的牛对农场主造成的损失，因此他的业绩损益与经营方式就与帕累托有效不一致了。效率问题需要牧场主对他的牛对农场主的庄稼所造成的损害负责。

在现代经济学最著名的一个论述中，科斯解释说，他所说的这种结果并不是必然的。如果牧场主的牛对农场主的庄稼造成的损害代价超过将牛赶出去的代价，那么牛就会被赶出农场主的庄稼地。那么，在农场主和牧场主之间的自愿谈判就会确保这样的外部性问题被有效地内部化。而且，随着双方的权利逐步得到清晰的界定，从经济绩效讲，法律是否会迫使牧场主对他的牛对农场主的庄稼造成的损害负责，就不是一个问题。而如果牧场主不对农场主庄稼的损害负责，我们仍然有信心认为将会有帕累托有效。也就是说，农场主付费给牧场主让他把牛赶出庄稼地。这会减少农场主的收入，因此在农场主和牧场主之间的收入分配将由于初始权利分配的不一样而不一样。但是，科斯谈判的结论却认为这会产生一个社会有效的结果，该有效结果不会受到谁将对损害负责的影响，农场主和牧场主都有动机去进行谈判直到他们能够使共同收入最大化为止。

科斯完全认识到，谈判因为其他原因可能耗日久长，或者代价高昂，原因就在于交易成本问题。除非谈判成本太高，否则外部性会被内部化。但是如果交易或者谈判成本为零，所有的外部性问题都会以帕累托有效的方式得到解决，简单地说，这是因为理性的双方都会一直谈判直到他们得到最大化的共同收益为止。他们会在谈判桌上把这些问题解决掉，而如果结果不是帕累托有效的，他们将继续进行谈判。各方就这个问题的自愿谈判会达到帕累托有效的结果。庇古关于自由竞争状态下外部性因素将不会导致帕累托有效状态的理论本质上是错误的。

当然，这个问题一般并不是这么阐述的，不过，我们可以发现科斯所做的工作本质上要把互利的交换逻辑——即交易成本限制交往与贸易——运用到人们接受的市场失灵分析中，以表明已有的看法是错误的。

对科斯理论的概括

其他一些经济学家和经济史学家试图利用自愿交换或者科斯谈判，并结合交易成本这些概念去理解政府、政治以及市场。[5]由于经济学学科是从亚当·斯密对市场的论述开始的，大部分经济学分析都集中在对市场的论述上，因此，这种对政府的分析方法对经济学家来说具有特殊的意义就是很自然的了。当经济学家把对自愿交换与市场的长久关注与对交易成本或者市场缺点问题的关注结合起来的时候，似乎就可以有一个普遍的既可以解释经济现象又可以解释政治现象的理论了。最近有许多研究本质上就是利用自愿交换或者科斯谈判(现在起我是在同一个意义上使用这两个词的)与交易成本方法来分析政府与政治的。这些研究有时互相之间差别很大(有些甚至根本就没有使用交易成本的概念)，因此简要的概括还不能完全给它们理论正身。然而，将它们放在一起进行考虑是重要的，因为作为一个整体，它们提供了最好的我们在第一章和第二章所述理论的代替理论。

科斯谈判和交易成本分析法中还有需要我们注意的地方，也就是交易成本有时可能是高得让人负担不起的。也就是说，交易成本如此之高，以致从交易中的所获远远被谈判的费用和其他交易成本所抵消。显然，这种交易是不会实现的。没有完成的交易也耗费了有价值的资源，因此，如果在界定经济效率过程中不计入这些因素，那显然是荒谬的。

支持交易成本分析法的有些学者进一步去论证社会中的个人与公司，在考虑到加于各方的交易成本因素后，将会成交所有对各方都有好处的买卖。如果买卖的交易成本超过买卖本身的所得，那么买卖双方就不会成交。因此，任何市场中出现的既有现状都是有效的。如果在计入交易成本因素后，出现对经济活动相关方更好的结果，那么产生好的结果的交易就会完成。所以，市场失灵这个词语其实是一个矛盾的形容法(oxymoron)，而自由放任这个词则比那些自由至上主义者先前所认为的要好得多。尽管只有一小部分无政府主义者与资本主义者(anarcho-capitalist)的思想家们对无政府这个问题阐述得很清楚，也就是说在逻辑上无政府状态是理想的状态。实际上，逻辑告诉我们，如果人们可以自由地交易或者不交易的话，我们会自动处于所有可能世界中的最有效状态中。

人们不应该忽视关于意识形态领域看法的意义，因为它也有一些重要的含义。对此含义进行进一步的解释是由诺贝尔经济学奖得主加里·贝克尔(Gary Becker)及其他一些建立在贝克尔工作基础上的学者完成的。贝克尔强调——并且建立了一个理论结构——无效的政府项目一定也是政治上有害的：它们造成的过度负担意味着更多的损失，这些损失都要计入政治谈判中。由于更有效的再分配办法可以产生更少的损失，在政治交易决定中就会有更多的收入可以用来分享。有些集团可能拥有比其他集团更多的政治权力，从而会影响再分配的结果。不过，会有在帕累托有效的基础上选择经济政策以获得合适的收入再分配结果的倾向。所以，我们注意到，至少大致上会有有效的再分配的。⑥

一些经济学家把这个观点更推进了一步。他们中有些人认为，交易成本不仅取决于技术，也取决于已有的制度。例如，计算机联网的销售网点体系的发明毫无疑问减少了一些交易成本。同样，美国买卖股票的交易成本可能由于纽约证券交易所和纳斯达克这样的制度而减少了。承认交易成本取决于制度这一点，使我们突然对科斯阐述的放任自由或者无政府状态下的案例的含义的理解豁然开朗：就如某些人指出的，政府本身也是一种可以降低交易成本的制度。可以确信的是，大部分人都同意，政府的有些活动至少可以比私人部门更有效地安排或者组织交易。

科斯定理对政治也是适用的

这个发现使我们可以把自愿交换和交易成本分析方法运用到对那些为了有效政府政策而进行的政治力量分析中。政治系统中互利的谈判因此就会趋向带来有效的社会公共政策。实际上,根据某些研究,政治谈判带来帕累托有效的社会后果,或者至少大致上是社会有效的。如果选择了一个有效的政策,此后向任何更有效政策的改变必须要能带来净收益,这些净收益的一些分配应该让每个人都更好(或者至少让一些人更好而没有人因此变得更坏)。还有,如果有政策可以让每个人都过得更好,或者一些人过得更好而没有人因此过得更差,那么这样的政策就会被选择。⑦即使不考虑我们已经注意到的政府对经济的干预主义政策,现状本身也会是有效的。我们仍然可以处在可能世界中的最有效状态。

某些先前提出这些观点的人不喜欢政府干预的自由放任主义者,他们怀着让人起敬的对知识的忠诚与信仰,按照他们关于政治系统中互利交易分析的逻辑,对政府选择的任何政策的效率都得出最有利的评估。其他使用自愿交换和交易成本方法分析的学者又太谨慎,以致不能得出无论是自由放任还是无政府结果,或者政治结果,必然是相当有效的结论。但是这只是他们科学上的慎重或者常识的标志,不是理论的逻辑。真正的逻辑必然具有我所描述的乐观的意义。

为什么理论是乌托邦?

要发现互利的交易以及与其联系在一起的交易成本理论范式如何使我们解释好的社会结果,是并不困难的。当人们自愿进行交易时,如果没有欺骗或者错误,交易会使他们的收益更好。如果他们继续进行类似方式的交易,当然一定不要有欺骗或者错误,他们的利益是可以得到满足的。因此,不管我们是否谈论放任自由或者政治谈判问题,自愿交换和交易成本范式必然产生这样的假设,即社会有效的结果是可以获得的。正如我们所看到的，如果一种结果不是社会有效的——假使它不会对相关的人产生最大化的累积收益的话——那么一定存在能够使每个人产生更好结果的对有效结果的收益进行再分配的方法。除非交易成本超过收益，经济活动的参与者会做出能够获得更有效收益结果的交易，当然这里的“更有效的”实际上并不是更有效的。

按照这种方法，这就是为什么你不能排除掉“乐观先生”（Dr. Pangloss）* 的理由。如果你从科斯谈判和交易成本的假设开始，而且不犯错误的话，你必然回到这个结论上，也就是我们身在的或者致力于的社会平衡必然是或者至少大致是帕累托有效的。不管我们如何设想市场或者政治中的谈判引起的收入分配，当所有的谈判结束时，其结果导致社会处于这样一种状态，它不大可能在没有使某人变得更差的情况下使另外的人变得更好。这样，互利的交易就完成了。因此，我们可以看到为什么科斯谈判和交易成本分析方法并没有试图让自己去解释坏的结果的原因，即使这一派别的大部分经济学家远远不是乌托邦类型的。

明显的社会无效结果

然而很显然，坏的事情常常发生，即使在理性的人中间也是如此。政府与政治显然也是一些荒谬的无效结果发生的原因。从前面所展示的逻辑来看，相信可代替理论的人会对我为什么如此确信存在荒谬的无效结果感到困惑。也许战争提供了最简单的帕累托无效结果的例子。当两个国家进行代价高昂的战争时，那么一定存在如果不发生战争会对双方都很有利的情况，例如，它们互相遵守协定就可以做到这一点。[8]

另外一个可代替理论所不能解释的很明显的坏的事情是，为什么有些国家总是那么穷——其收入极为微薄——而这种贫穷不是必然性的。世界上最富裕国家的单位资本收入是最贫穷国家的二十多倍。所有国

---

* Dr. Pangloss 是伏尔泰《老实人》中的哲学家，此人认为世界上的一切都将臻于完善。——译者注

家都能够接触到大部分现代技术以及世界资本市场，我到处都在讲，如果参照它们掌握的土地和自然资源以及它们民众的生产技术方面的差异的话，要解释单位资本收入为什么存在如此大的差异的确是不可能的。⑨

因此，如果不考虑这些国家统治无方的因素，实在是没有办法来解释它们为什么处于如此极端贫困的状态。很明显，统治失策与各个社会之间存在如此大的单位资本收入差距的现象，仅仅在所谓国家之间交易成本的差异问题上是不能够得到很好解释的：穷国和富国的人一样似乎都会在谈判问题上争论不休的。当那些制造先进技术机器的公司急于要将其产品卖到世界各地时，而且当无数的投资管理者为了更高的风险调整回报而急于将资本输出到各个地方时，为什么现代体制下的互利交易不能够根除国家之间单位资本收入如此庞大的差异呢？在可使它们生产能力更强的技术和资本都可以获得的情况下，是何种交易成本如此之高以致使世界上绝大部分人生活在贫困状态之下呢？

另外一个明显的无效结果——主要因为其他原因，我们很快会涉及——是霍布斯的无政府状态。为了解释无政府以及其他明显的无效结果，我们必须承认不是所有的交易或者互动——即使在完全理性的个人之间——都是自愿的。

武力的黑暗面

正如个人常常可以通过自愿交换实现其利益一样，他们中的有些人有时也会通过威胁使用武力或者直接使用武力来实现自己的利益。

如果一个人拥有比他人多得多的权力，他也许更可能通过武力威胁或使用武力而不是自愿交换来实现自己的利益。他可能毫不费力而不是花很大代价就能得到很多。就如托马斯·谢林(Thomas Scheiling)所指出的：

> 人类生产力的一个可悲的原理就是毁灭易于创造。积数年心血建造起的房子可能因为年轻人一盒火柴的代价就毁于一旦，伤害人

> 的权力——毁灭别人所珍视的东西，让别人承受痛苦与悲伤——也是一种谈判权力，它用起来不容易但是却被人们经常地使用。讹诈、盘剥、绑架这些都是下层社会中的现象……这种权力构成人的活动以及肉体惩罚的基础，社会以其吓阻犯罪和违法行为……而上帝则以其强求人们去服从。[10]

因此，理性的自利会使自愿交换变得互相都有好处，在市场这只看不见的手的指引下，它也会满足社会利益。但是，它也会引导人们利用手中的权力去强迫他人。用杰克·赫什莱佛(Jack Hirshleifer)的话说，就是存在“武力的黑暗面”(a dark side of force)。[11]

当我们放弃所有的互动都是自愿的这个假设时，社会结果必然是有效的这个含义就不存在了。拥有权力的一方通过武力威胁或者使用权力能够得到收益，如果这样做的成本比他获得的收益要少得多的话。受害者的损失，以及即使这样的损失规模与拥有权力一方的收益相联系，也并不必然会对结果产生影响。小偷不需要关心他的盗窃所获会对受害者造成多大的损失，谋杀者也不会去只杀害那些想自杀的人。

同样，只有当某个政府能够比它的前任更有效地利用财产，或者只有通过税收能够聚集到更有用的钱财时，这个政府才会必然去霸占其臣民的财产。因此，当我们超越自愿交换及交易成本的分析方法，而在我们的分析中纳入通过运用强制性权力谋取收益的因素时，解释政府所做的好事与坏事就不是什么很难的事情了。

当我们把权力纳入到分析中时，我们可以很容易承认这样的事实，即政府的本性都是强迫性的。例如税收从概念本身讲就是强迫性的，每个政府都会利用税收资源。它们就如俗语所说的，和死亡一样是不可避免的东西。同样，我们也很能理解政府的警察力量握有枪支，或者政府控制的军队施行的令人敬畏的暴力和拥有的强制性武器，或者是政府有时介入的代价高昂的战争。当我们只是考虑自愿交换与交易成本问题时，政府的象征物使我们想到的是强有力的像狮子和老鹰这样的动物而不是收银机或者商店，这绝不是偶然的。

强制对契约遵守是必要的

自愿交换与交易成本分析方法从其自身来说是不能解释某些好的结果的，即使这些好的结果发生在从社会意义上说是无效的市场环境下。有些交易本身是可以自我强制实施的。例如，如果交易在某一点上完成了，相关方的利益与常识一般就是要从买卖中获得收益。这种买卖甚至会发生在那些不需要共同文化或者制度帮助的相关方之间，就如自治的部落之间互相进行买卖一样，有时甚至也会发生在如政府禁止的黑市中。

其他的交易则不是自我强制实施的，只有在一个拥有强制力的第三方监督下此类交易才会出现。如果买方与卖方距离甚远，那么就会存在人们担心的货物运输的风险问题。当货物被订购后，在交易实现之前就必须投入生产。如果有保险机构，相关方就会即时付费以便在发生突发事件的情况下可以获得赔偿。不管什么时候当有期货交易时，即使是损失方也会希望去完成交易。当有借贷市场时，资本的借出是因为期望获得在约定的年份甚至几十年后得到回报。在所有这些例子中，除非相关方预期他们签署的契约能够实现，否则从交易中的所获是不可能实现的。借贷者——或者不管是谁，当他的借约需要在以后几天才能实现的时候，他总是承诺他将按时履行他的契约。但是，正如霍布斯所精辟指出的："契约如果没有剑做保证等于是空言。"作为最后的措施，必须有一个强制性的第三方来保证契约的执行。

科斯谈判理论以及对谈判起限制作用的交易成本问题并不能解释强制契约执行的外部权力问题。它可以很容易扩展开来去解释为什么那些想签订需要第三方强制执行契约的人需要这样的强制性，以及为什么他们愿意为这种服务付费。但是，它还不能解释为什么强制性权力有时被用来强迫契约的执行以使市场运转得更好，以及被用来攫取市场中交易的商品这样的现象。

无政府社会

就如我们已经看到的，理性的个人可能威胁使用强制力量去实现自己的利益，当然，这正是造成如霍布斯所言的“荒凉、贫穷、卑鄙、野蛮以及短缺”的无政府状态生活的因素。在霍布斯的无政府状态中，生产的动机受到一个人生产的东西——以及用来生产的工具或者资本——会被其他人掠夺去的可能性的限制。在无政府社会中，有些劳动力是被用来掠夺或者偷窃而不是用来进行生产的。

偷窃自然会引起防卫工具与避免偷窃行为的一些成本。由于这些成本在无政府社会中是重要的，因而很令人奇怪的是，它们对理解非无政府社会也很重要。当然，它们需要区别对待。例如，让我们来考虑一个在无政府社会中的家庭是如何对待特有的偷窃行为的。该家庭为了实现其最好的利益，需要把它的工作进行适当分配，最后一个单位的工作需要用来保护其免遭偷窃，这与它将其用于生产所取得的回报是一样的。在一个无政府社会中，一个家庭可能需要花更多的精力去防止偷窃行为而不是去生产。（当然，同样的逻辑也适用于偷窃与生产，某些人会把更多的时间放在偷窃而不是生产上。）

偷窃也可以通过以不同的方式生产一些东西或者生产不同的产品来被阻止。我们已经指出，在无政府社会中，资本商品可能很容易被偷窃，因而生产就不得不是劳动密集型的。有些活动，例如在某些地方采集食物以果腹的活动，本质上是反对盗窃行为的。当生产过程中生产性的因素更少而防止盗窃行为的因素更多时，最后所损失的产量当然是无政府状态内在的成本。

因此，在无政府社会中，社会损失了本可以把资源投入生产而获得的那些产出，本用于投入生产的资源被用于防止盗窃活动上了，如果生产活动不集中在防止盗窃行为上，那么额外的产出本是可以获得的。无政府不仅导致生命的丧失,也增加了去偷窃和进行防窃的动机,因而减少了人们进行生产的动力。

因此,就如强有力的人有时会理性地利用暴力或者威胁使用暴力来达到自己的目的一样,无政府下的暴力于一个社会来说也总是非理性的:不管窃贼得到什么,其他人总是有损失的,资源流向窃贼以及社会的防窃行为都减少了产量。如果无政府社会被一种适当的和平秩序所取代,那么产量就会大幅度增加。实际上,从暴力的无政府社会转向和平秩序的社会所获得的收益一般来说是如此之大,以致存在很多将这些惠及社会中每个人的收益进行分享的方法。如果一群人行动起来以实现其共同利益,他们将不会选择无政府这样的途径。

社会契约:科斯谈判的另外一个名称

那么,我们能够得出这样的结论,也就是由于避免无政府状态可以给人们带来收益,人们就会行动起来避免这一状态吗? 互利交换的类比告诉我们,他们会做到这一点。每个无政府社会都会从签订并遵守一项社会契约中得益。一个老生常谈的看法就是,一个由理性人组成的集团可以实现它的共同或者集团利益。这样我们能否得出结论说,每个集团由于存在共同的规避无政府状态的利益,因而都可以行动起来通过确立和平的秩序以实现这样的共同利益?

答案明显是否定的。自愿行动以确立和平秩序不能够发生——对大集团或者一个国家来说更不会发生——的最重要理由我们在下一章将做分析。但是我们已经论述过的观点也是可以足够充分地证明多集团不可能确立一个社会契约:即使无政府社会中的每个人签订了社会契约以确立一个和平秩序,无政府状态也不会根除,除非契约能够得到强制执行。如果有一个强有力的一方(例如政府)可以强制执行契约,那么将首先不会有无政府状态。

权力理论的必不可少性

尽管交易成本分析法在等级制公司研究中取得了成功,以及其在分析政治问题中给我们带来了启发性，但是它还没有提供理解政府与政治，或者任何存在强迫性权威与强制性权力社会生活的充分基础。它也不能解释许多我们所观察到的明显的社会无效结果，甚至不能解释那些需要强制力量保障的互利性契约。当交易成本的看法与重视强制性权力的重要性的看法结合起来的时候，它就能够提供一个有用的观察政治与政府的方法（例如迪克西特所做的工作[12]）。当它被运用到考察存在污染或者外部性问题的两人互动中的时候，它也是极为有用的。而且，它与我们第一章和第二章提供的理论结合起来使用时，也被证明是很有启发意义的。但是自愿与互利性的谈判以及对其进行限制的交易成本的比喻自身还是不够的，甚至也不是政府与政治理论的自然起点。

为了理解政府以及其所做的所有好事情与坏事情，以及在没有政府的情况下所出现的令人恐怖的无政府生活，可能还没有一种理论可以代替我们在第一章和第二章发展出来的权力理论。我们必须既要理解从自愿交换中得到的收益，还必须理解强制与力量的逻辑。

对理论的附加说明

该是扩展本书早些时候提出的理论的时候了。尽管我们在下一章应该看到在科斯观点里存在一个逻辑错误，也就是如果交易成本是零，理性的各方都会必然达到帕累托有效的科斯谈判结果，但是，我们所以注意它是因为我们有必要理解额外的理论。我们必须看到，为什么像捕猎队这样的小集团一般能够在工作中有效地得到由社会契约所提供的和平秩序和其他公共物品，以及为什么一大群人却从来没有能够达到自愿的科斯谈判结果。我们还有必要去理解侵蚀世界上甚至最繁荣地区经济活力的主要力量到底是什么。

注 释

① 这两篇文章是 Ronald Coase, "The Nature of the Firm." *Economica* pp.386—405(November 1937); 以及 "The Problem of Social Cost." *Journal of Law and Economics* 3: 1—44(October 1960)。

② 参见如 Oliver Williamson, *The Economic Institutions of Capitalism.* New York: The Free Press, 1985。

③ 在受害人对损害做了有效调整后,这必然就是社会的损失了。如果受害人所遭受的损失得到了完全的补偿,他们就不会有动机去最小化这些损失,这样其结果对社会而言就不是有效的(参见 Mancur Olson Jr. and Richard Zeckhauser, "The Efficient Production of External Economies." *American Economic Review* 60(3): 512—517[June 1970])。

④ A.C. Pigou, *The Economics of Welfare*, 4th ed. London: Macmillan, 1946.

⑤ 如参见 Douglass C. North, "A Transaction Cost Theory of Government." *Journal of Theoretical Politics* 2(4): 355; Avinash Dixit, "The Making of Economic Policy: A Transaction-Cost Politics Perspective." *Munich Lectures in Economics*. Cambridge and London: MIT Press, pp. xvii, 192。迪克西特也提出了在现存的治理框架内经济政策制定的一种交易成本理论,故此明确地就本书所解释的问题做出了归纳。

⑥ "A Theory of Competition Among Pressure Groups for Political Influence." *Quarterly Journal of Economics* 106: 407—443(May 1991); and "Public Policies, Pressure Groups, and Dead Weight Costs." *Journal of Public Economics* 28: 329—347(December 1985).应用贝克尔模型(Becker Model)的首屈一指的例子,参见 Bruce Gardner, "Efficient Redistribution Through Commodity Markets." *American Journal of Agriculture Economics* 65(2): 225—234(May 1983)。

⑦ 可以颇具启发性地遵循这一思路来考虑饶有趣味的研究,而不管它们是否明确地使用了交易成本方法来研究政府或政治,可参见 George J. Stigler, "The Theory of Economic Regulation." *Bell Journal of Economics and Management Science* 2: 3—21(Spring 1971); 以及 "Law or Economics?" *Journal of Law and Economics* 35(2): 455—468 (October 1992); Earl Thompson and Roger Faith, "A Pure Theory of Strategic Behavior and Social Institutions." *American Economic Review* 71(3): 366—380(June 1981); Donald Wittman, "Why Democracies Produce Efficient Results." *Journal of Political Economy* 97(6):

1395—1424(1989)；Gary Becker，*The Myth of Democratic Failure*：*Why Political Institutions are Efficient*. Chicago：University of Chicago Press，1995。前面提到的加里·贝克尔的文章也与此处相关。

⑧ 尽管必须总是要有让双方状态改善的和平协定，但是该协定却并不总是自我执行的。如果不能自我执行的话，正如唐纳德·威特曼(Donald Wittman)所正确指出的那样，可能不会有公正的第三方来执行这一协定(见 Donald Wittman，"Why Democracies Produce Efficient Results." *Journal of Political Economy* 97(6)：1395—1424)。尽管有国际法庭和法院，它们通常无权让各国遵守它们之间的协定。

⑨ Mancur Olson，"Big Bills Left on the Sidewalk：Why Some Countries are Rich and Others Poor." *Journal of Economic Perspectives* 10：3—24 (Spring 1996).

⑩ Thomas Schelling，*Arms and Influence*. New Haven，CT：Yale University Press，1966，p.v.

⑪ "The Dark Side of the Force."该文为向西部经济学会(Western Economics Association)所作的主席演讲，载于 *Economic Inquiry* 32：1—10 (January 1994)。

⑫ Arinash Dixit，"The Making of Economic Policy：A Transaction-Cost Politics Perspective." In *Munich Lectures in Economics*. Cambridge and London：MIT Press，pp.xvii，192.

4

理性的人与非理性的社会

设想一个由个人组成的集团遭受无效或者对集团来说是非理性的结果，也就是说，人们不能将集团内个人的累积、共同收益或者福利最大化。就如第三章提供的代替理论提醒我们的，其后果必将会有一个如科斯谈判这样的办法，以集团中每个人都将会改善境遇的方式来分享由于变化而带来的有效或者集团最优结果的收益。

罗纳德·科斯的结论是，如果交易成本是零的话，集团理性(group-rational)的结果是可以得到的。这是人们普遍接受的看法。这个命题被认为是放之四海而皆准的，它对所有种类和规模的集团都适用。确切地说，每个人都该知道，要达成对团体有效的一笔交易，其谈判和交易成本可能比达成“有效”分配所得到的收益要大得多。我们知道，这将意味着(如果交易的最优机制——不论是正式的还是非正式的，是私人的还是政府的——被利用的话)可供选择的分配方法从一开始就并非真是有效的。因此，科斯的逻辑(至少被一些交易成本经济学家扩展了)看上去意味着如果集团是由理性的个人组成的，那么这个集团本身也是理性的。就是说,正如个人会理性地趋向在个人利益基础上行动一样,集团也会理性地在共同利益的基础上行动。

这种看法绝不仅仅限于交易成本经济学或者芝加哥学派,长时间以来,它是(甚至现在在某些学术圈也是)一种惯用的思维。例如,马克思的阶级理论就假设一个由理性和有知识的个人(没有错误意识的人)组成的社会阶级会按照其阶级利益行动。资本主义社会是由资产阶级控制的,当资本主义发展到一定阶段后,无产阶级就会为着自己的利益行动起来推翻资本主义,确立无产阶级专政,创造无阶级无国家的共产主义社会。一度主导政治学研究的集团理论和多元主义理论力图在"集团会在集团利益的基础上行动"的假定上来解释政治问题,一些研究工会的经济学家对工人集团的行动也持同样的假定。由于无政府的缺陷以及和平秩序可以带来的收益,人们可以达成契约以建立一个政府的看法,同样是基于集团就如个人一样会为了自己的利益而采取行动的假设之上的。

我在《集体行动的逻辑》①一书中已经充分说明了集团为了自己的利益而采取行动的看法是错的,现在,那本书中所揭示的观点在很多方面已为世人广泛接受。不过该观点并未运用到某些重要方面——科斯定理就是其一,因为它被认为是与其无关的,或者甚至从来就没有被考虑过。幸运的是,第三章探讨的科斯定理的逻辑告诉我们集体行动逻辑的新含义,也使我们以新的方式来看待这个逻辑问题。它还表明,对集体行动逻辑的新阐释揭示了一些对囚徒困境模型所存在的普遍的极为有害的错误解释——特别是当考虑到集团中个人的数目与集团采取行动实现共同利益的可能性之间的关系时。

当我们对科斯定理与囚徒困境模型有一个正确理解的时候,我们就可以对本书发展的理论给予有力的解释。在本章,我将多少提供与以前不同的对集体行动逻辑的解释。尽管那些对《集体行动的逻辑》一书已经有着充分了解的人会发现自己可以足够理解本书后面章节的内容,但是,我想他们仍然会在阅读本章的内容时得到很多令人惊讶的看法。下面，我将首先从人们熟悉的小集团集体行动能力这一点出发探讨这个问题。

小集团常常可以成功地进行集体行动

在那些成员很少的集团中，一方常常可以从一个集体物品中得到充分的好处，他对集体物品的供应付出部分代价，但是他也可以从集体物品的提供中得到收益。但是其他方就可能免费获取了。在极端的情况下，如果一个公共物品只能惠及两方，例如，一条死胡同里住着两家人，也假设这两家人对集体物品抱有相等的价值态度。那么，很容易出现这样的可能，一个集体物品的最少的供应——当双方的收益是相加在一起的时候——将比其本身的价值高两倍。那么，每家都会从提供集体物品的份额中得益，即使其承担了所有供应的代价也是如此。每家都将获得其任何为集团利益采取行动所带来的好处的一半。

那么，现在假设有五户人家将会在这个死胡同中来获益。平均每户人家将会从自己对集体物品的供应中分得五分之一的收益。这个激励因素常常会驱使各家都去为集体物品的供应而付出，尽管这样的激励因素不如在两人集团中那么大。除非一定量的集体物品对所有成员的累积收益是其总价值的五倍或者更多，否则五个成员组成集团中的每户是不可能从其自己对任何物品供应的贡献中得到收益的。许多物品的最小数量与其成本相比如此有价值以致这个条件有时是可以得到满足的。因此，即使在五人集团中，也会存在一些单方面供应集体物品的可能性，尽管考虑到需求或者共同利益或者集团理性因素，这种可能性要比两人集团小得多。一般来说，户数越多，对路的长度和质量要求就越高，但是即便不在这种情况下，与集体理性或者集团最优供应相比，单边行为提供的将是更少的集体物品。

战略互动

如果从集体物品供应中获益的成员数量是小的,还有一种可以对各方产生激励的因素就是进行战略互动与谈判。例如,一方可能对另外一方说:“如果你也愿意这么做的话我也将提供一定量物品(或者负担被提供物品一定单位的费用)。”当一个集体物品的潜在受惠者知道另外的人也会承担物品的供应或者分担物品供应的成本,那对每方来说,一个单位的公共物品的供应成本就减少了,而一定量的公共物品被提供的可能性就会加大。如果两个人达成分担成本的协议,规定只要另外的人采取合作那么双方都应该共同分担成本的话,第三方将发现,对物品贡献的价值就增加了很多。成本的分担不仅使一定量的集体物品供应更加可能,也会导致更大数量的物品供应。如果一个集体物品的供应成本由那些非常看重可以从中获益的人所分担的话,那么每方都会想得到最大化的累积收益,也就是说,这时候存在一个集体物品供应的集团理性(对集团来说是集团最优或者帕累托有效的)。

一般来说,当一个集体物品的潜在受惠者数量是小的时候,每个人的利益就会受到他人合作或者不合作的严重影响。可以设想一下集团的成员们在提供一个集团最优量的集体物品,再设想一下如果一个成员停止贡献以后会发生什么。在一个五户人家组成的集团中,他们对集体物品都一样地珍视,如果一户人家退出供应或者不愿意分担成本,那么对其他四户人家来说成本就会急剧上升。这种成本增加最终是非常明显的,因此其余四户人家的任何一家都会想到搭便车问题。当每一个供应者一定要承担单位集体物品成本的四分之一而不是五分之一的时候,那么每个人都想负担最小的那部分。因此,搭便车的人就将获得明显比以前更少量的集体物品,这可能使该人再次开始参与到付费行列。

如果情况不是这样的话,其他四户人家可以通过威胁减少供应或者停止供应以增加搭便车者重新负担的动机。在完全的小集团中,我们可以一直确信人们总是有动机去进行谈判直到采取互利的集体行动为止。尽管不能确定小集团可以为自己提供集体物品,但是自愿行为和谈判常常是会成功的。当然,我们后面要讨论的特殊情况是个例外,就是没有供应的结果不可能是稳定的均衡,因为各方一直有被激励的动机去进行谈判,并且坚持谈判一直到从集体行动中获益为止,因此,集体物品没有得到供应的结果就不是一个均衡的结果。

一个寻常的错误

但是仍然有一个人们常提到的看法,就是即使只有两个人构成的集团,这两个人也不会为了他们的共同利益而合作。甚至一些利用技术手段进行的成熟研究也非常支持即使由两个成员组成的集团也会和大集团一样可能不会实现他们的共同利益这样的结论。这种常识性的概念误会显然是由他们把那个让人迷惑的著名例子简单化所致。

这个有趣的简单例子就是著名的囚徒困境。从囚徒困境例子中得到的主要结论是,即使集团只由两个人组成,该集团一般也不能获得集体物品。只有当重复多次进行囚徒困境博弈时,他们才可能通过合作获得收益。在任何一次博弈中(或者在任何一组博弈中博弈者事先知道将会进行多次博弈),对每个博弈者来说其主导或优势战略都是背叛而不是合作,因此一个集体理性的结果是不会出现的。

在囚徒困境的比喻中,两个囚徒已经处于警方的控制下,分析关注的是两个囚徒可能被指控为有罪,但是犯罪程度有所不同。两个罪犯都已经犯了严重的罪行,但是只有他们知道自己所犯的罪,除非他们两个互相出卖,否则因为没有证据谁也不会被指控。因此,对他们共同所犯的罪行保持沉默对双方来说就是集体物品。

罪犯的例子所以被用来说明社会合作失败的一个关键是,在这个经典的比喻中，两个囚徒可以被警察隔离开来，因此两个囚徒是不能互相沟通的。由于两个囚徒不允许互相串供，他们无法达成不向当局招供此罪行的协议，因此也没有机会通过不让法官去认定他们谁犯更严重的罪行来实现他们的集体利益。两人之间的任何互动都面临一个共同问题，就是通过沟通明了怎样获得对两人来说的集体物品，两人博弈的囚徒困境的动力是，这样的可能性被额外的特殊环境阻止了：警察知道如果两个人可以沟通的话，那么他们就可以串供。

如果能够实现共同利益以避免被指控更严重的罪行，两个囚徒之间达成的谁也不指认彼此所犯罪行的协议一定是可靠的。注意囚徒困境的第二个特殊环境，也就是由于囚徒间的协议因为妨碍司法是违法的，所以他们不可能达成一个可以由法院强制执行的契约。因此，也只有囚徒才可以被用来说明由少到两个人组成的集团在社会合作上的困难性。实际上，当少数人可以从集体物品中获益的时候，他们一般可以互相沟通以决定如何通过合作实现其共同利益，而且他们也会借助法律协定以及其他机制强制执行其交易。因此，他们一般能获得集体物品并实现其集体利益。

本章关于小集团常常可以进行集体行动的逻辑适用于任何相关方能够进行互相沟通并能够达成强制执行协议的情况。（在集体行动中，例如在关于私人物品的买卖中，交易方本质上是自发的，协议一般是可以自我实施的，比如在定点市场上进行的即时交易，而如果交易一定要在协议签订后一段时间完成，那么一般就需要一个第三方来强制执行协议。）

由于小集团可以沟通并利用可获得方法强制执行协议，我们就要问自己为什么一个只有在例外情况下才是真实的例子会这么出名并有那么大的影响。也许部分原因在于这个例子很简约很美。但是另外的原因则是囚徒困境的结论——集团不会合作以获得其集体利益——对大集团来说是对的，尽管它还没有抓住大集团不能自愿地成功获得集体利益的真正原因。

为什么大集团自愿的集体行动会失败?

设想一种集体物品有100万个潜在的获益者。很显然,从我们前面关于小集团的分析可以看出,由5个成员组成的集团中平均每个成员会获得以集团利益为目的采取行动所得收益的五分之一。由100万成员组成的集团中的每个人从供应集体物品的收益中得到百万分之一的收入。百万成员集团中的个人与由很多人组成的社会中的一个罪犯所处的地位一样。在一个真正的大集团中,每个人只会分到从集体行动中得到好处的微小部分。这个微小的所得不会刺激大集团中的个人采取自愿的与集团利益相一致的行动。

可以想象到的是,一种集体物品看起来有如此高的成本-收益比,以致百万分之一的收益会超过该物品中一个单位或者几个单位的总成本,因此,该物品的一部分是会被单方面提供出来的。但是,如果成本-收益比非常高,那么可能就会出现真正的且异常的集体非理性结果!在集团最优状态下,关于集体物品一个边际美元的开支当然会有一个成本-收益比。如果集体物品的价值与其成本相比是如此之高,以致大集团中的单个人有动机去提供一部分集体物品,那就证明该集团并不会实现其集体利益。

而且,那些从集体物品供应中只能获得百万分之一收益的人显然是不会有动力去进行战略互动或者谈判的。如果每个人只能从一种集体物品的供应中获得百万分之一的收益,两个人只能获得百万分之二的收益,那么百万分之二的收益一般是不足以促使两个人去与第三个人进行谈判以弥补集团集体性的非理性结果的。

威胁不供应的悖论

即使大集团中的许多人能够达成协议以提供一些集体物品,但是这些人也不会得到与集团中那些搭便车者一样的收益。当然,那些根据协议提供了部分集体物品的个人可以对每一个搭便车者威胁说,如果后者不参与到集体物品供应中的话,那么他们将不再供应集体物品。但是,这种谈判性的威胁有时不大可能起作用。让我们考虑一下在由 N 个成员组成的一个可以从公共物品中获益的集团。任何非搭便车者 $(N-1)$ 都可能威胁将不供应集体物品,除非那些不合作者付出适当的费用。

虽然我们看到在小集团中这样的战略常常可以起作用,但是随着集团变大,这样的威胁变得越来越不可信。在一个由 1 000 人组成的集团中,一个采取不合作战略的集体物品的正常获益者知道,如果他搭便车的话,其他 999 个人损失的总量相当于他不供应的量的 999 倍。而且,在一个千人集团中,正常的理性的获益者不大可能因为不合作而愿意去支付超过集体物品总成本千分之一的费用。因此,999 个人从威胁不供应集体物品的谈判战略中所获得的收益——即使谈判是成功的——与他们从不供应集体物品中所遭受的损失来比注定要小得多。

一句话,在现实生活的任何大集团中,在没有强制情况下唯一可以运用的威胁——威胁不供应集体物品——本质上会因为两个原因而失败。第一,大集团 中的供应者从威胁不供应中失去的东西要比进行任何一项谈判策略所能获得的都要多。第二,在同样的时间长度里,他们失去的要比他们从一个搭便车者进行供应行为中所得到的要多得多。

每个人都会有动机去做一个搭便车者或者不合作者。随之而来的是,我们不能期望绝大多数人会去供应集体物品。在足够大的集团里面自愿性互动的结果本可以从集体物品供应中得到收益,但是却常常是失败的,自愿性的不受到补贴的集体物品供应几乎从来不会达到一个集体理性的水平。

关于集团理性幅度的逻辑

由于大集团中自愿性的个人行为无法获得集体理性的集体物品量,如果要能获得一点的话,我们必须进行想象性的工作,去考虑已被给定的集团最优量这样一个状态。我们已经探讨过小集团的情况,现在可以考虑大集团了。如果一个由百万人组成的集团要获得一个集团最优规模的集体物品量，那么对100万个获益者来说，当最后一个单位的物品被提供的时候，总的收益应该正好等于边际单位的成本之和。但是随之出现的情况是百万成员集团中的单个人会获得边际单位收益的百万分之一。因此，每个成员都会发现，如果他提供了一个单位的集体物品，那么对他来说只有百万分之一的代价是值得的。很显然，大集团通过自愿的不受资助的个人行为还是不会获得集体物品理性的数量规模。

由于《集体行动的逻辑》出版于1965年，来自不同国家及学科的许多学者已经做了大量的详细研究、统计检测甚至有控制的实验研究以检验我前面的理论。绝大部分的研究都确证了我的看法。从《集体行动的逻辑》一书引出的两本书也是被人们广为引用的，一本是罗素·哈丁(Russell Hardin)的《集体行动》[②]，另外一本是由托德·桑德勒(Todd Sandler)所著的同名书。[③]

要是没有交易成本会如何？

由于所有人都同意支付其应承担成本的份额，集体物品能够被提供出来，所以，大集团中的每个人都会过得很好，有些研究交易成本的学者因此设想，如果有外部力量可以支付必要的谈判费用，或者如果因为某些原因而没有交易或者谈判成本的话，那么即使由成千或者上万成员组成的集团也能够为其自己提供集体物品。毕竟，同意分担与收益相当的成本并提供某类物品是个绝对有利的协议，因此，科斯谈判和交易成本的分析方法使我们思考，在与协议相关的各方没有支付谈判成本的时候，合作的事情是否也会发生。

假设由外部力量来支付所有谈判的交易成本是不现实的。我们已经看到在一个大集团里，在没有外部因素对谈判成本进行补贴的情况下，个人甚至是不会被激励去进行互相谈判的。不过，认真考虑如果交易或者谈判成本由外部力量支付或者因为某些原因其为零的时候将会发生的情况是非常重要的，因为这说明了一个关键的此前一直未被人注意的在私人物品与公共物品交易之间存在的区别。对这个差别的忽略导致许多经济学家陷入逻辑的错误之中。因此，让我们假设以下的情况，就是有些外部机构会支付大集团中个人为他们自己提供集体物品进行互利协议谈判的成本或者其他资源。

在私人物品的交易中，获得这类物品唯一的办法就是要成为交易的一方。如果你被排除在交易之外，那你将一无所获。要使相关方参与到私人物品互利交易过程中并不是一个问题，因为各方为了获得收益的动机会驱使他们参与到私人物品的交易中。

存在互利交易或者其他交易费用的机会成本的事实，会使某些本可以使各方都有利的买卖无法达成。但是，要获得信息并负担其他交易成本是需要支付有价值的资源的，因此我们不该假设如果这类交易没有完成那么就会存在社会无效性。个人对自身利益的追求会刺激他们去进行互利交易，并愿意支付公司出售给他们的关于市场机会的信息以及中介费。因此，即使市场从很多方面看是典型的不完全市场，对社会来说，也不存在个人与公司不会参与私人物品互利交易这样的大问题。

现在设想在一个大集团中，如果一种集体物品的成本由每个人来分担而且也能够被提供出来，那么每个人都将会更好。进一步设想这样一个事实，即集体物品的大部分(或者只是一个)潜在获益者都同意分担成本并提供集体物品。那些没有参与这个交易的人显然是所有人中最幸运的，因为他们可以免费得到公共物品，相应地，那些参与集体物品供应过程的人则承担了成本。那么，最可能的结果就是他们被排挤出这样的交易。

但是事实上，潜在的获益者是不会被排挤在交易之外的，因为那些达成交易的人的利益就是要让每个人都分担交易的成本。相反，如果出现能够提供集体物品交易的可能性时，理性的个人是不会使自己置于交易之外的。总的来说，由于每个人都可以从他没有参与的集体物品供应中得到相对最大的好处，因此每个人都有动机想处于置身于外的地位，这种不参与集体物品供应的情况从一开始就会出现。④

现在考虑这样两种情况，即不仅整个集团，而且集团中所有可能的联盟或者次集团(包括一个人组成的次集团)，这些潜在获益集团中的个人试图成为集体物品供应的一部分。设想我们关注的集体物品是由互相关联的量所组成的，因此我们可以抽象出到底要供应多少以及到底多少这样的集体物品可以被提供出来。集体行动的问题只有在公共物品对整个集团来说收益大于成本的情况下，以及科斯谈判的可能性成为一个议题的情况下才会出现。我们假设这在很大程度上是对的。

随之而来的问题是，如果集体物品提供给每个集团成员比不提供会带来更好的结果的话，那么就会存在集体物品供应成本的分割问题。一个单位的集体物品分割开来应该相当于与集团成员收益相等的成本份额[一个林达尔份额(a Lindahl share)]，如果所有集团成员的承担份额都是相同的，他们将都会支付该分担的公共物品成本。我们设想这就是成本的分割问题。

因此，我们肯定会处于这样一种没有交易成本的状态，科斯定理告诉我们理性的个人将会进行科斯谈判以提供公共物品。由于成本的分配份额是公平的，集团中的每个人将会从集体物品的供应中得到好处。

但是，集团内更小的联盟或者次集团会为个人提供潜在的更大的报偿吗？对大集团来说这个答案绝对是肯定的。当其他人愿意支付公共物品时，搭便车的联盟或者次集团显然能够获得更多的好处。不管有多少搭便车者，哪怕只有一个，这个看法也是对的。集团中理性的个人的一个目标就是别人付费时自己免费搭车。如果公共物品没有被提供出来，这就与科斯定理假设的不存在交易成本或者谈判成本的情况是矛盾的。

如果大集团中的个人相信集体物品会被提供出来，那么他们就会试图使没有支付的成员回到集团中来，而且也会动员其他人加入联盟以分担成本。这就是理性的战略。如果交易成本由外部力量来承担或者因为其他原因交易成本是零的话——因此也不存在战略动员成本问题——那么个人仍然会行动，以继续确保集体物品被提供出来。不管个人是否相信公共物品会被提供出来，科斯定理所预言的在交易成本是零的情况下理性的个人会一直进行科斯谈判，就是不能成立的一个定理。[5]

一般认为的大集团集体行动问题一直与合作性博弈理论家所称的没有核心集的博弈(games without cores)[6]问题有关。该种状态是指次集团中的有些人比在整个集团联盟中时的收益要更好，即使就整个集团联盟来说总收益是最大的。[7]有时也有这样的看法，认为理论上所说的没有交易成本会使我们不需要顾及那些可能导致理性个人不进行科斯谈判的因素。但是刚才所描述的困难是无法假设的，因为它涉及一个逻辑矛盾，也就是科斯定理假设理性的个人行为的意义，没有这个假设，科斯定理就没有意义，但是在大集团中由于集体行动问题，理性的个人行为意味着个人会尽力不去进行科斯谈判，因而常常使科斯谈判无法发生，即使交易成本是零也如此。

有选择的激励

大集团在能够得到有选择激励的条件——这与集体物品自身是不一样的——下会进行集体行动，当然，是针对个人是否供应集体物品来进行有选择性的激励。有选择的激励可能是正向的(positive)也可能是反向的(negative)，例如，它可能是对那些不协助集体物品供应的人进行惩罚。税收报偿当然就是在反向有选择激励的帮助下取得的，因为那些逃税的人会补税并受到惩罚。

工会是现代民主社会中最为人知的有组织利益集团，它们常常也是部分靠反向的有选择激励来开展行动的。真正有影响力的工会的大部分会费，是通过工会商场、只雇用工会会员的商店、代理商店这样的途径多多少少让会费的交纳成为强迫性和自动性的。一些非正式的方法也同样有效果。罢工期间的纠察队就是工会有时需要的一种反向有选择激励。尽管在工业社会的成熟稳定的工会中，纠察队常常是和平的，但这是因为工会以罢工的形式停止企业生产对很多人都会造成影响。工会运动的早期阶段常常会对工会和反工会的雇佣工人以及发动罢工的人造成很大的暴力影响。

有些工会运动的反对者们认为，既然许多工会的成员仅仅是因为法律上带有强制性的工会商店而聚合在一起，那么，许多相关的工人本是不会加入到工会里的。第二次世界大战结束后不久，美国通过的《塔夫特-哈特利法案》(The Taft-Hartley Act)规定政府实施的公正选举应该决定工人是否事实上想加入工会的问题。正如这里所阐述的集体物品逻辑一样，那些被强制交纳会费的工人带着义务性的目的去为工会投票，因此《塔夫特-哈特利法案》的这个特征很快因为毫无意义而被放弃。那些不愿交纳会费但是却投票迫使任何人交纳会费的工人，和纳税人投票支持高额税率但是却试图使自己的私人事务避免税收的行为其实是没有区别的。

因为同样的逻辑，许多职业协会也是通过隐蔽或者公开的强制办法吸收会员的(例如美国的律师协会)。像游说团体和其他卡特尔组织也是如此，来自公司的一些捐赠目的在于给公司带来政治上的好处，这些捐赠也是一种委婉的强制形式的结果。

尽管很容易为大家所忽略，但是就如在《集体行动的逻辑》一书中所举的很多例子一样，正向有选择的激励还是很普遍的。美国的公司组织提供了许多原生型的例子。许多美国大公司组织的成员之所以成为其成员，是因为他们的会费支付是自动来自公司合作性组织的赞助费或者包括在支付给与公司组织有关的保险公司的保险费中。任何拥有一定数量城市顾客的组织也以保险、出版、优惠的价格以及其他只给会员提供私人物品的形式提供同样的正向有选择的激励。工会的申诉程序也常常提供有选择的激励，因为会员积极的抱怨与申诉会引起人们更多的注意。

游说组织的政治权力以及与其关系密切的商业组织之间的合作关系也会为商业组织带来会费以及其他好处，宣传造势以及从政治运动中获取的信息常常产生一定的行为偏好，使人们相信可以使商业游说活动变得有利可图。通过这种办法得到的好处会提供正向的有选择激励，鼓励组织去招募人员进行游说活动，因此商业和游说活动是互相补充的，也意味着它们即使在最严酷的竞争环境下也能够成功。

小结

人们一直认为集团一般会为它们的共同利益采取集体行动这种看法是错的，尽管这种看法一直得到科斯定理、马克思的理论以及其他知识传统的肯定。只要任何一个集团的集体物品的价值很确切地超过它的成本，那么就一定有潜在的科斯谈判以提供使集团中任何人都过得更好的物品。但是当一个集团是足够大的时候，其成员将没有任何激励因素驱使他们进行使科斯谈判成功的成本高昂的谈判与战略互动。即使在交易成本是零的情况下，也不会推出他们会完成科斯谈判的结论。任何对科斯谈判会成功而抱的期望都会产生一个没有核心集的博弈，因为所有理性的人都会不断努力进入搭便车联盟的次集团中，对他们来说这样可以得到最大的收益。

集团要克服集体行动的巨大困难以理性地获得集体利益，只有在两个环境下才可以达到。一是当集团中的成员很少时。尽管囚徒困境的例子对此进行了错误解读，认为结论正好相反，但是足够小的集团能够而且常常可以为它们的共同利益而行动。另外一个可以使集团克服集体行动困难的环境是要有选择性的激励。因为许多集团是很大的，没有机会获得有选择性的激励，他们可能无法为他们的集体利益而行动。

没有一个社会中的所有集团都是全面的和对称的。因此，像失业者、贫困者、消费者以及纳税人都是没有被组织起来的。因此，集团之间为组织集体行动进行的谈判会忽视未组织起来团体的利益。自愿性的力量或者市场力量不会导致一个对社会总体来说是有效的科斯谈判或者社会契约。正如我们将在后面看到的，对集团来说，需要耗费很多时间去克服集体行动的困难。

注 释

① Mancur Olson, *The Logic of Collective Action*. Cambridge: Harvard University Press, 1965.

② Russell Hardin, *Collective Action*. Baltimore, MD: Johns Hopkins University Press, 1982.

③ Todd Sandler, *Collective Action: Theory and Applications*. Ann Arbor, MI: University of Michigan Press, 1992.

④ 如果某个受益人并不参与进来，而供应在团体水平上不是最优是正确的，这就意味着：不参与的人比他或她分担成本时将得到较少的公共物品。如果这个团体非常之小，只有两个或少数几个公共物品的受益人时，这会鼓励参与：从得到更多中所获收益会是如此之大，以致分担所有单元的成本，并得到比在较少的供应下做个搭便车者更大的数量，这样做可能会更好。但是在现在所讨论的大型团体中，这一考虑几乎从来不会适用。在1 000人所组成的团体中，如果一个普通受益人搭便车的话，此人参与进来大约只会增加供应值的千分之一，故此就只会导致供应上无足轻重的增加。在大型团体中，一个或少数几个典型的个人通过参与对供应的增加是如此有限，以致这样的增加对他们的福利几乎没有影响。然而，对他们来说，他们所分担的供应给所有单元的成本绝非是无足轻重的。所以，相比较支付供应给所有单元的成本的适当比例来说，在略微次优的供给条件下，大型团体中的个人搭便车通常会提高其境况。

⑤ 有些人可能会争辩说：一个企业家会提出协议征求大家的意见，此协议规定每一方都支付公共物品的成本中他或她所承担的部分，但只有在所有潜在的受益人都签字时该协议才会生效。但是，如果要求所有的人都同意的话，成为一个拖延签约者就是有利可图的。这样，拖延签约者就可以要求，只有在他或她得到达成协议的收益中一个大的份额时，才会签署该协议！屈服于这一要求，而不是让一致同意的规定

和拖延签约者阻止获得供应的所有收益,对其他人来说是有利的。如果契约不要求供应中的一致同意,拖延签约者会简单地拒绝承担公共物品的任何成本,因为他或她知道,其他人在他们之间达成协议会让他们有所得。如果可以讨价还价,而且设计出打算获得团体最优化协议的人可以首先行动,那么有可能会设计出能够获得供应的协议。但是这要求给予有效的结果以任意的先行优势。如果同样的任意优势给予了任何可以从作为搭便车者中获得好处的人,一般而言,就不会存在团体最优的自发供应的可能了,即使是投入到讨价还价中的资源其成本由外部来满足也是如此。

⑥ 在题为“The Coase Theorem and Transactions Costs: Is This the Most Efficient of All Possible Worlds”的文章的草稿中,我已更全面地探讨了这种情形,但是沿此思路所进行的研究工作,其主体部分尚未完成。

⑦ 此处“大的”一词泛泛而用,其目的是为了避免讨论大量的情形,而不需要研究这些情形就可以反驳科斯定理。在较小的团体中也会出现《集体行动的逻辑》一书中所称的“少数人对多数人的剥削”情况——也就是说,在一方比团体里的其他人对公共物品设定高得多的净价值的情况下。

5

治理与经济增长

如果前面章节阐述的观点是正确的话，我们就有了回答很多重要问题的工具。这些问题包括第三章提出的问题，例如为什么有些集团可以通过自愿性的协议来克服无政府状态而有些集团却不能，也包括前言中提出的一些问题，例如为什么与预期相比，法西斯主义的失败与共产主义在苏联的崩溃后会出现如此不同的结果？为什么法西斯主义失败后出现不可预料的经济增长奇迹，而共产主义在苏联崩溃后经济绩效却比以前更糟糕呢？

治理的演变

我应该首先回答第三章提出的问题，也就是为什么很多人口组成的社会不能通过自愿性的社会契约或者科斯谈判克服无政府状态建立一个政府，而许多小集团却可以通过自愿协议达到和平的秩序。我们注意到，从克服无政府状态中获得的收益是如此巨大以致每个人都可以因此过得更好,因为一个和平的秩序是一个公共物品。为了理解一个和平秩序以及其他集体物品的供应问题,我们考虑了集体行动的逻辑,从而揭示出自愿性集体行动的困难随着从集体行动中获益人数量的增加而急剧增加。因此,尽管小集团要花时间去达成协议,以获得必要的集体理性的物品供应水平,但是小集团是能够进行自愿的集体行动的,而大集团是不能够通过自愿性行为实现其共同利益的。因此,该理论预言,人口众多的社会无法通过政治哲学家常探讨的自愿性社会契约或者任何其他形式的自愿性集体行动来获得一个和平的秩序,但是小集团却常常可以通过一致同意获得和平的秩序。

这些理论看法与历史事实和人类学上的许多研究是相一致的。尽管已经有了大量的社会契约文献——如果契约达成并被执行的话社会会获得收益——但是没有人注意到超大社会可以在社会中的个人间进行科斯谈判以获得和平的秩序。我还没有发现历史上有超大社会可以通过任何形式的自愿性集体行动来确立和平秩序的例子。

相反,人类学方面的文献却认为原始社会是通过自愿性行动达到和平秩序的。最常见的采集与狩猎社会即使包括孩子,一般也就由 50 或者 100 人组成。这样的团体其实还是个小集团,它只包括一些需要合作的家庭。正如理论所说明的,这些团体一般都是自愿性的团体,是通过全体一致意见来管理的。许多原始部落是没有首领的,因此一般没有一个人能处于强制其他人做什么事情的地位。当这些团体有一个首领的时候,这个首领也只是象征性的主管和执行集体决策而已。当这个团体变得太大或者不一致意见变得很多时,那么团体就可能分裂,但是分裂开来的许多团体一般也是通过全体一致同意来做决策的。如果部落处于狩猎与采集阶段,任何人都很少会被激励去征服其他部落或者保持许多奴隶,因为掠夺并不能产生足够的盈余来维持看护奴隶的成本。① 人类学家关于原始部落一般能够通过自愿性协议维持和平与秩序的发现,也和塔西陀和恺撒以及其他一些古典学家对欠发达的日耳曼部落的观察是一致的。

那么现在我们很自然地就会问，当人口增长变得如此之多以致不能通过自愿性集体行动获得和平与秩序时将会发生什么？一旦部落中的人知道如何有效地增加庄稼的产量，产量的增长就会伴随着人口的增长。本质上大规模的人口是需要一个政府的。如果自愿性集体行动不能从和平的秩序或者其他公共物品中获得收益，那么大规模的人群如何才能获得一个和平的秩序呢？就如我们在第一章所看到的，专制者可以使自己获得很多。所以，这会趋向使流动的匪帮首领或者任何足够强大的人变成固定的匪帮首领，这就是为什么人类历史进程中许多大规模人群被专制者统治的原因。[②]第二章的分析还解释了只有在很幸运的环境下，代议制政府或者民主才会自发出现。因此，我们所提供的逻辑包含对各种形式政府的解释，并与它们随着时间的演变是广为一致的。

拥有组织自由的社会的僵化问题

我承认我在第一章中提出的大多数人（以及其他在市场中得益的居支配地位的利益）是一致的和有目的性的假设实在是太简化了。通过把大多数人模型化为能够进行最有效活动的整体，我们可能去展示一些重要的现实特征。大多数人的全部利益甚至是更共容的利益对解释为什么许多民主国家运行得那么好是非常重要的。对大多数人的全部或者更共容利益的分析使我们持有更加乐观的看法。

之所以这么乐观，部分是因为一般的公民没有热情去参与严肃的公共事务或者对不同类型的公共政策及制度到底会产生什么样影响之类的问题进行研究。让我们考虑一下一个公民决定到底要花多少时间研究他所在国家的政策或领导人这样的问题。该公民对这些事情所花的研究时间越多，投票支持理性的政策以及政治领导人的可能性就越大。然而，该公民这么做只能从有效的政策与领导上获得很小份额的收益：总的来说，该国的其他公民会得到几乎所有的收益，因此，单个的公民不大会愿意去花时间发现和思考什么对其国家是最好的这样的问题。关于公共事业的知识其实是公共物品，集体行动的逻辑适用于对公共事业问题进行分析，就如它也适用于对其他公共物品进行分析一样。

公民“理性的无知”现象

因此，一个投票者对什么样的选择最能实现选民利益或者大多数人的利益这一点，存在理性的无知(rational ignorance)现象。在全国性选举事务上这一点是最为明显的。从对选举与选举候选人的研究，直到非常清楚投什么票最能实现自己的利益，这对一个投票者的收益要取决于“正确的”和“错误的”选举结果对单个人价值(而不是对社会价值)的差异，它也增加了个人投票变化对选举结果改变的可能性。由于单个人投票改变选举结果的可能性非常之小，因此，一个普通的公民，不管他是物理学家还是出租车司机，通常对公共事务存在理性上的无知现象。

有时，关于公共事务的信息是如此有趣或者让人感兴趣，以致仅为这些理由人们就会愿意了解更多关于这方面的知识。这种状况相对前面概括的一般公民对公共事务存在的理性的无知现象来说似乎是个重要的例外。同样，某些特殊岗位的人如果能够获取独特的公共事务知识，他们也可以获得很大的私人物品回报。例如，政客、游说者、新闻记者以及社会科学家可能会从对公共事务知识的了解中获取更多的金钱、权力或者荣誉。有时，关于公共事务独特的知识也会使人们在股票或者其他市场上赚取非凡的利润。

个人对公共物品的觉悟所带来的收益一般惠及整个集团或者整个国家，而不只是惠及那个因为觉悟而愿意承担公共物品成本的人本身。这个事实可以解释很多现象。例如，像“人咬狗”就是是否具有新闻价值的标准。如果人们看电视报道或者阅读新闻报纸只是为了获得关于公共事务的重要信息，那么那些不具有公共重要性的离奇怪事就会被人忽视，而复杂的经济政策和公共问题的定量分析就会为人注意。相反，当新闻只是为了大部分人的娱乐的话，那么捕获离奇怪事和人们感兴趣的话题就成为必要。同样,媒体就会完全充斥噱头事件或者公众人物的性丑闻报道。那些不拿公民的税收为公民谋福利而只顾自己腰包的政府官员,可能因为特殊的错误而倒台,从而成为新闻话题。那些可能让公众厌恶的抗议和游行制造着各种有趣新闻,因而使人们无暇关注对重要问题的辩论。

选民以及大多数人中存在的理性的无知现象,意味着大多数人常常看不到他们真正的利益所在。他们可能成为自己不曾注意的掠夺行为的牺牲品。他们可能被表面上看上去很好听的所谓为了大多数人或者总体上为社会利益的政策所蒙蔽,而实际上这些政策只是为了满足某些特殊人的利益。当我们考虑到特殊利益集团的动机时,我们会看到这个问题是非常严重的。

产业与职业组织

现在我们考虑这样一种情况,在某个产业中的公司或者工人或者在某些职业中工作的个人,他们被组织起来作为游说团体或者联盟采取集体行动。他们不是选民中的大多数,因而不大可能获得一个国家国民收入的大部分。因为他们不构成大多数,他们不能完全控制政府的税收和开支权。他们因此必须利用选民对特定公共政策以及公共政策实际影响的理性的无知来为自己谋利。

因此,他们会劝说理性的无知的选民:对他们的行业予以保护会加强国民经济,或者在他们行业中限制进入与竞争的管制政策对消费者是有利的,或者他们要获得一般投票者不知道的税收漏洞以及补贴。他们常常利用不为人察觉的对市场的共谋或者卡特尔化获得垄断价格与工资。特殊利益集团通过推行某些措施来最好地实现自己利益的事实,很容易不为人了解或者一般不大可能为人注意,这种行为对经济效率造成的损失要比他们得到直接与无条件的补贴大得多。

在多大程度上,代表特定产业或者职业的组织的集体行动,会被激励不去为了他们自己利益而进行再分配活动呢?这样的再分配行为显然会对经济效率造成损害。附加在某项产业中的利润甚至价值或者某职业中的工资只是国内生产总值很小的一部分。为了计算的方便,假设一个既定的组织起来的利益团体正好获得国内生产总值一个百分点的利益。那么,该组织起来的利益团体就会为了自己的好处而要求政府性的以及垄断性的再分配,直到再分配结果使社会损失接近其所获收益量的100倍为止。只有在这时,它承担的社会损失边际份额与其从进一步再分配中所获得的边际收益份额才是相等的。因此,这个特殊利益集团只有狭隘而不是全局的利益。它面临的激励因素与大多数人所面临的激励因素是绝不一样的。不幸的是,他们对社会的有害性要比那些稳定的匪帮大,常常比那些得到保护的帮派还要糟糕,与对社会造成危害的个人犯罪行为相比也好不了多少。由于我在《国家的兴衰》一书中对这个问题已经做了详细的探讨,在此我就不进一步论述该问题了。③

集体行动组织的缓慢出现

第四章认为,集体行动是困难的而且是成问题的。另外,在形成组织或者新的合作模式过程中一般还存在一些特殊的初期成本问题。即使那些原则上可以有效行动的小集团或者得到有选择激励的集团,在合适的环境出现之前也不能组织起来。每方都想承担可能的最小的成本份额,在谈判中有时都想尽可能长时间采取不合作态度。在小集团中有些通过谈判获得的集体行动只有在过去一些时间后才会得到。

在大集团中,集体行动只有通过有选择的激励才能够成功,即便如此,还有更大的困难需要克服。如果强制是有选择的激励,强制性力量必须得到妥当的安排,因为没有人喜欢被强制做什么事情,因此这是存在困难甚至是危险的。强有力的领导者以及合适的环境常常也是需要的。吉米·霍法(Jimmy Hoffa)工会生涯的开始阶段很能说明这一点。年轻的霍法是底特律一家还没有被组织起来的大型零售商店的一名工人。在一个炎热的夏天,一大批草莓将很快会运到商店,这时候霍法劝说他的同伴们一起罢工。雇主发现接受霍法的要求比损失大批新鲜的草莓要更好。霍法最终成功了。一般来说,环境并不总是这么有利,那些带有霍法式的狡猾、胆量以及不受约束的领导人并非时时都有。

只有经过许多努力以后才会有正向的有选择的激励。要有盈余来资助一项集体物品的供应,或者诱导别人来提供集体物品,这些本质上来说都是很偶然的事情——显然,那些试图开创新事业的人中有成功的也有失败的。赚钱的企业家们自然常常只顾自己。因此,有时必须发现和利用在能够提供集体物品的行动和产生收入的行动之间存在的某些互补性因素。游说力量一定要部分用来获得政府对商业行为的有利支持,或者,例如,游说组织在其获益者中的信誉与信任一定要被相关的商业活动利用起来。即使这些互补性因素可以利用起来,他们也可能要经过一段时间以后才能被发现和发挥作用,当然,还必须有很有想象力的领导人做动员工作。

对观点的检验

对一个社会来说需要花费很多时间才能将许多组织聚合起来采取集体行动,那些特定产业、特定职业以及其他狭隘组织的集体行动对经济效率与经济动力是最有害的。由于大多数人拥有共容利益甚至是更大范围的共容利益,不受特殊利益集团影响的民主政府在很大程度上将会关注公共物品的供应,而且通常对经济绩效只会造成相对可容忍的损失。只有在被狭隘特殊利益组织的游说控制的情况下,经济通常才会出现真正严重的扭曲。

现在我们看看西方市场民主的经验,以检验一下我们的理论是否符合实际。如果我的理论是正确的话,我们应该期望社会在一场大的灾难摧毁了集体行动的组织后会确立一个好的法律秩序,这样这个社会在一段时间内就会有惊人的增长。同样,相比较而言,那些长时间一直很稳定的社会的经济增长应该要更慢。

具有长时间稳定性,且未受到侵略和制度破坏的社会是大英帝国。正如理论所预言的,英国也有其"英国病",在主要发达民主国家中它是经济绩效最差的。第二次世界大战后德国与日本的经济奇迹和我们的观点也有关系。在适当的调适下,前面提到的理论也能解释二战结束后美国区域经济成长的一般模式。其他人所做的一些检验与评估也证明我的理论是对的。④

专制与民主国家的经济增长

如果第二章的观点是对的,我们就知道,许多专制者抱有短视的目光,比那些反复无常的匪帮更少关注他们社会的生产,只有拥有长时间稳定财产与契约权的社会才是民主社会或者代议制政府的社会。如果第一章以及本章前面部分的观点是正确的,那么,按照代表特定产业、职业或者专业团体的特殊利益集团的标准,专制者对他们统治的社会具有相对共容的利益考虑,尽管这种共容利益是绝对比不上大多数人的利益的。

尽管可观察到的经济增长模式与其他一些理论也有关系,但是肯定与我们这里提供的理论是相关的。资本常常从专制社会或者不成熟的民主社会(即便该社会资本是高度稀缺的且回报很高的)流向持久的民主社会中(即便该社会中资本供应相对充足且回报是很低的)。因此,世界上各个国家之间极为不平衡的资本分配是与第二章所说的观点极为一致的,不管是在最近还是在以前,专制社会的经济绩效通常总是表现平庸甚至是灾难性的。

同时,不仅在漫长的专制统治的历史时期有长期的纯产出与人口增长,而且在最近许多拥有强有力的、比较稳定的而且相对治理有方的专制统治下也有惊人的经济增长。我的同事和我就大约一百个国家所做的广泛的统计工作表明,在一个专制者的统治时间与其治理区域下的财产与契约质量之间存在很强的非常重要的紧密关系。⑤在最近一些时间,在一些专制统治下的国家和地区(例如中国台湾、韩国、新加坡和智利)也有令人瞩目的经济增长。那些经济上非常成功的专制者不仅趋向采取长远的规划,而且也抵制并打击特殊利益集团。他们愿意有一个强国家，通常也并不把政策屈就于那些特定职业或产业的特殊利益集团。尽管对任何国家经验的完全描述都需要考虑到许多其他的重要因素，这已经超出了这里提供的理论的范围，不过，总的模式还是与我们的理论非常一致的。

注 释

① 从对人种学记录的详尽调查中发现，存在着大量的证据可以显示：大部分原始人的记述中几乎都没有涉及奴隶，但在更为发达的农业社会中涉及奴隶的记载则相当普遍[参见 L. T. Hobhouse, G. C. Wheeler and M. Ginsberg, *The Material Culture and Social Institutions of the Simpler Peoples*. London: Routledge and Kegan Paul, 1965; Mancur Olson Jr., *Some Historic Variation in Property Institutions*（普林斯顿大学 1967 年油印本）中所揭示的在狩猎-采集型社会中奴隶制的无利可图]。

② 小型部落间有时可以形成联盟，故而增加了通过自发行动获得公共物品的人的数量（Mancur Olson Jr., *The Logic of Collective Action*. Cambridge, MA: Harvard University Press, 1965, pp.62—63）。有些最早时期的农业社会可能具有这样的特点。但是当小型团体自身的数量变得很大时，自发的集体行动就行不通了。

③ Mancur Olson, *The Rise and Fall of States*. New Haven and London: Yale University Press, 1982.

④ 例如参见 Kwang Choi, *Theories of Economic Growth*. Ames, IA: Iowa State University Press, 1983; Richard Vedder and Lowell Galloway, "Rentseeking, Distributional Coalitions, Taxes, Relative Prices, and Economic Growth." *Public Choices* 51(1): 93—100(1986); Steve Chan, "Growth with Equity: A Test of Olson's Theory for the Asian Pacific-Rim Countries." *Journal of Peach Research* 24(3): 135—149(1987); Erich Weede, "Catch-Up, Distributional Coalitions and Government as Determinants of Growth and Decline in Industrial Democracies." *British Journal of Sociology* 37: 194—220(1986); Jan-Erik Lane and Svante Ersson, *Comparative Political Economy*. London and New York: Pinter, 1990, p.viii, 296; Todd Sandler, *Collective Action*:

Theory and Applications. Ann Arbor: University of Michigan Press, 1992; Jonathan Rauch, *Demosclerosis*. New York: Times Books, 1994；另见 Dennis C. Mueller 所编辑的 *The Political Economy of Growth* 一书中的许多文章，该书由 New Haven, CT: Yale University Press 于 1983 年出版，以及 *International Studies Quarterly* 27(1983) 和 *Scandinavian Political Studies* 9(March 1986)上的大量文章。

⑤ Christopher Clague, Philip Keefer, Stephen Knack and Mancur Olson, "Property and Contract Rights in Autocracies and Democracies." *Journal of Economic Growth* 1(2): 243—276(June 1996).如我们在此前看到的那样，此文还提供了令人信服的统计数据，证明在持续性民主政体中，财产和契约权平均而言要比在任何其他类型的政体中好得多。

6

执法与腐败的根源

存在着一种逻辑上的可能，使得第一章和第二章中的理论出现错误。对这种逻辑可能进行分析很重要(尽管没有人会认为，在现实中这一逻辑可能将推翻我们的论断)，因为它将我们的注意力引到具有重要现实意义的一个新观点上。这一逻辑上的可能性就是，保护某一领地内的所有财产以防被盗，以及提供其他基本公共物品，其成本可能远远超出政府可能获得的最高税收收入。我们在第三章分析无政府状态时曾指出，在无政府状态下，一户家庭可能会理性地使用比花在生产上更多的时间，以防止其所拥有的财产被别人偷窃。当政府承担起法律与秩序方面的责任时，成本是不是相对较为高昂？不管是国王还是民主政府，都无法对一国发生的大小事务了如指掌，而且，用于保护国内所有财产的警察，再加上法庭和监狱，以及与之相伴随的其他公共物品，其供应成本可能会极为昂贵。

事实上，提供法律与秩序的成本，同税收及国民收入相比应该是——在许多国家也确实如此——微不足道的。我们知道，和税收收入相比，提供和平的秩序及其他基本物品并不需要花费多少:许多独裁者攫取大量剩余用于其扩张行径和其他奢侈活动,而且在大部分民主政体中,政府掌握着巨额的自由支配的支出(即不是法律与秩序,或者是民主政体生存所必需的支出)。然而在大部分第三世界国家——并且在前苏联和其他一些前共产主义国家里——存在着巨大的"非正规"部门,其中的大部分人出于必须而生活在法律之外。这些人也受到政府内大规模腐败的侵害。提供为政府生存所需的法律与秩序及其他公共物品,其成本相对微不足道,当我们理解了这一点后,我们会对官员腐败和犯罪,以及为什么某些国家中有大量的灰色经济和非正规部门,有一个新的、更好的了解。

两个主要原因可以解释为什么维持法律与秩序并不需要花费很多。当我们分析暴力和其他成本高昂的冲突的根源时,第一个原因便很清楚了。如果成本高昂的冲突的参与双方了解双方的相对力量,并且双方一致认为一方要远远强于另一方,他们之间几乎从不会发生冲突。双方都知道战争的最终结果,所以他们明白,达成一项节省冲突成本的协议就可获得收益。解决方案通常会考虑到双方的力量差距;弱势一方向强势一方做出让步。与之相对照,当双方力量接近时,以下的可能性就会大大增加,即一方对另一方的相对力量做出错误判断,并通过战争威胁而不是接受另一方的条件以期待获得更好的结果。这是人们通常逃离无政府状态地区,甚至(在必要时)搬到受剥削压迫的地方居住的一个原因。

当个人,如某个独裁者,确立了其地位时——或某个民主政府建立了警察武装后——政府的力量要远大于其国民或公民的力量。一旦清楚了事实果真如此,政府通常就不再需要为对付其国民支付大量费用;其国民很清楚,他们最好选择不与政府对抗。

这一观点并不新颖。霍布斯曾就独裁专制政体这一特定情形,雄辩地论证了这个观点。他鼓吹拥有强大权力以令所有国民完全臣服的君主。他相信这样的君主是确保和平秩序所必需的。

政府不需花费昂贵代价维护和平秩序的第二个理由是,通过建立正确的公共政策和制度，政府可以依靠强大的私营部门激励机制，大大加强其执法方面的努力，并由私营部门来承担维持法律与秩序的大部分成本。让我们来考察防止犯罪并导致合法行为的私营部门激励机制，它们存在于有良好经济政策和制度的社会中。在经济政策良好、产权划分明晰的市场经济中，个人和厂商的私利是犯罪预防、合法行为和法律执行的一支主要力量。

以防止偷盗或维护产权为例。所有者的私利促使他们谨防盗贼。个人和厂商的利益促使他们设锁、藏匿贵重物品、雇用门卫并保持警惕。需要承认的是，在产权界定模糊的社会中，甚至在无政府状态下（如我们在第三章中所见到的），个人和厂商对避免成为盗贼的牺牲品有相似的利益。然而，在产权明晰界定的社会中，个人和私营企业出于他们的自身利益，采取的防止偷盗的措施强化了法律，并降低了政府执法的成本。

私营部门中个人和厂商的私利经常会有助于警察、法庭以及政府缉拿并惩罚盗贼。当某户家庭或某家企业成为盗窃活动的牺牲品时，他们通常会向警察报告所受到的侵犯，并提供他们可能得到的任何信息，以助政府缉拿盗贼。有时候企业和个人还会提供悬赏，以获得有助于缉拿曾侵害他们的罪犯的信息。

必须承认盗贼亦有其私利。他有隐藏其犯罪行为并避免被缉捕、而且有时甚至是贿赂警察或法官的动机。在每一个地方，罪犯的个人利益都会对法律造成破坏。然而，在一个拥有良好制度和经济政策的市场经济体中，另一方面也总存在着犯罪行为的牺牲品和潜在牺牲品，他们不仅锁住其资财并藏匿贵重物品，而且报告他们所受的侵犯，向警察施压以追回被盗财产，并提供不利于这些侵犯者的证词。

维护法律的压力

在我们对（当存在良好的制度和经济政策时）私营部门里的个人利

益限制犯罪和腐败这一事实进行仔细考察时，会发现其拥有与我们第一印象相比重要得多的意义。不妨考虑针对欺诈行为的执法成本问题。尽管警察和法庭在遏制欺诈中作用重要，但不想被欺骗的个人和厂商的谨慎小心确实也至关重要。只要政府实行购买者自我当心的政策，政府便不需要为同欺诈做斗争而支付很多。

再来考虑贷款合同的执行问题。假设某位借款人决定不还钱。借款人有做出不利于贷款合同执行的行为的动机，但贷款人通过对借款人的声誉和未来信贷渠道构成威胁，甚至在必要时通过请求法庭扣押其财产，来迫使借款人还款。因为在决定向谁贷款时，贷款人倾向于那些风险最低的借款人，这使得还款份额比贷款人不使用这种判断方法要更高一些。这当然会导致还款行为更为普遍，并形成对源于相互同意契约的私法的习惯性遵从。

我们还可以考虑私人领域的民众和厂商在权力和财富上的差异。通常情形下，在成功的市场经济体中，同样是财富和权力的不平等，在其他方面会成为问题，但在此却有助于维护法律和秩序。当人们对偷盗行为和合同的履行争论不休时，更有地位、更富裕的利益集团通常站在维护法律这一边。如果通常意义上的盗贼不如其受害人有钱或有政治影响，私人领域力量对比的结果就会在法律一边。如果贷款人平均而言比借款人更有影响，贷款合同履行的效果也会更好。而通过形成合理的借贷条件，这也有助于那些能从借款中获利的人。我认为，支撑许多法律的私人领域的净力量是个十分重要的问题。

正如我们在后面所要见到的，在经济政策不善和制度不良的社会中，情形会大为不同。但在此刻，与我们上面的讨论相关的论点是，因为存在私营团体的私利，拥有适宜的制度和政策的政府，能够以相对低廉的成本维持充分的法律和秩序以促进经济发展。当我们将这个论点与下面的观点——各种多数人团体在社会中拥有广泛的利益，这促使他们关注生产力，后者进而又促使他们限制对自身的再分配——相结合，我们便会形成对现代民主社会相当乐观的看法。控制这些社会的、具有共容性的多数人团体具有选择良好经济政策和制度的动机；进而，他们能以适度的成本获得合理水平的法律与秩序。

私人领域针对执法的普遍一致的压力

现在让我们来考察那些没有良好经济政策和制度的国家。假设由政府来确定价格并将价格设定在市场出清价格（market-clearing price）之下，需求量便会高于供给者在低于市场出清价格下所愿意提供的数量。于是出现下面的情形，即可能存在以高于控制价格、并低于市场出清价格来进行的互利性交易——买卖双方均可获利的交易。双方都通过违反法律而获利，而且同违反私人产权方面法律形成鲜明对照的是，没有一方有报告受到侵害的动机。基本上，私人领域的所有激励机制都倾向于破坏法律。当然，如果政府将价格设定在市场出清价格水平之上，同样的结论也成立。

现在假设由政府决定某种商品生产多少，而且，由计划者所确定的数量低于市场所愿意产出的数量。有些购买者便不能获得其所期望的数量的该种物品，而通过以这些购买者愿意接受的价格向他们提供该物品，某些潜在的售卖者便可获利。双方都会因规避法律而有所收获，在必要时，他们会贿赂本应执行这些法律的官员以获利。

假设政府规定，某种物品必须以超出市场意志的数量，或者在市场根本不需要的情况下进行生产。如果生产者不生产该种物品，或不按规定的数量生产，他们就可以节约大量的成本，而且（因为依照约定该项生产活动并不经济）该物品对购买者不是物有所值，所以他们不会强烈反对生产者的行为。推而广之的论点是，违反市场规律（market contrary）的立法或政令，必然使得所有各方或几乎所有各方都形成规避法律的动机，并可能导致政府部门犯罪和腐败行为的泛滥。

因而，许多社会里政府部门腐败大量滋生的一个原因便是，他们所规定的结果是所有的或几乎所有的私人团体所力图避免的，而且私人部门中没有任何人愿意向权力机关报告违法行为。更进一步来说，若市场中的双方因违法而被抓住，他们有劝说或贿赂官员放弃执法的相同动机。基本上，私人领域的所有激励机制都站在破坏法律的这一边。政府部门迟早会变得腐败和无效。

与繁荣市场经济国家内的政府比较，第三世界的政府试图推行远远为多的违反市场规律的政策。正如上述论点所预测的，其政府部门也要腐败得多。存在于第三世界的规模巨大的非正规经济，不仅证明了违反市场规律的政策的数量之多，而且证明了这些政策在长期内所导致的第三世界政府腐败无效的程度之深。

当然，在苏联模式的国家中，违反市场规律成为国家的行为规范。许多人证实，如果有时不从事半合法或非法交易来获得投入，工厂经理们甚至无法完成任务——无法达到其配额。苏联模式计划经济的全盘体制是如此地逆市场而行，甚至高层官员们——或者特别是这些高层官员们——不得不违反规则和计划，以期完成下达给他们的任务目标。也就是说，违背市场规律的行为经常成为完成某些体制内目标的障碍。

对存在于东方的犯罪及官员腐败的一系列抱怨，我们现在已获得了部分的解释，但仅是部分解释而已。我们将会见到，当我们说苏联模式的社会以前所未有的程度限制了私人产权和市场时，我们在很大程度上低估了这种类型的安排对守法行为和政府官员人格的损害。斯大林首创的这种类型的体制，具有比我们上面讨论所能解释的更为本质的特征，这导致了甚至更多的违法行为和官员腐败。

我们不仅需要解释为什么腐败在苏联模式体系的生命期内有了显著增长（而且为什么对后苏联社会而言腐败是一严重问题），并且需要说明苏联模式体系的其他特征及转轨的困难之处。我们发现，在本书中所形成的理论，只要稍作延伸，就可以为斯大林所创造的体制类型，为向市场经济的民主社会转轨所面临的困境，提供一个全新的理解视角。我们在下一章开始讨论这个新视角。

7

苏联模式的专制理论

为什么苏联曾一度被人们视为对美国及其盟国构成了经济与军事上的威胁，第一章和第二章中所讨论的专制理论集中揭示了两个方面的原因。苏联是一专制政体，因此：(1)它由一个共容利益集团所统治——其他情况相同时，苏联领土上的生产效率越高，可供专制者实现其目标的资源也就越多，所以苏共第一书记有提高社会生产效率的强烈动机；(2)其领导人从社会中攫取了最大可能的剩余，以增加其政治权力、军事力量和国际影响。

尽管这些因素很重要，但它们不能解释苏联专制政权的共产主义性质。在斯大林巩固其对苏联政治体系的控制之前，尚无一位专制者如斯大林那样对苏联的组织实行那样的控制。为什么斯大林强加给苏联(以及其后的卫星国)这样一种经济体制，即几乎全面的国家所有制以及由政权来决定的大部分价格和工资？

通常意义上的假定——选择中央计划经济是出于马克思列宁主义意识形态——并不足以解释问题。专制者行为可由意识形态来解释的说法不构成一种解释，这只不过是增加了一个词而已，除非我们解释清楚是什么促使了该意识形态的出现，以及为什么专制者选择了这种意识形态而不是其他什么学说或折中观点。当渴望权力的专制者努力赢得权力，并进而支持在他必须获胜的选区或权力基地（power base）内广受欢迎的某种意识形态时，我们就可以解释他对该意识形态的运用。因而，在斯大林为赢得苏维埃社会主义共和国联盟的专制统治而奋斗时，他便毫不奇怪地加入了明显处于强势或关键性地位的布尔什维克派别，该派别（和列宁本人一样）选择了市场导向的新经济政策，并决定反对对农业实施强制性集体化。

在他攫取了不受挑战的权力后，斯大林不再需要取悦任何布尔什维克派别，并进而采取了他以前所反对的政策：由国家对经济的全盘吸收以及残酷的农业集体化。他的所作所为是出于我们并不清楚的意识形态原因，这样的说法并不能为我们提供更多的解释。马克思的著作并没有要求斯大林所强加的那种经济组织形态；马克思致力于研究资本主义，而对社会主义和共产主义的组织形式几乎什么也没说。由于斯大林的实践和宣传，随着时间的推移，马克思列宁主义意识形态已逐渐等同于他所实行的那种类型的经济和政治体系了，但是，事发之后再使事情合理化，这种做法不能解释斯大林获得专制权力之初的选择。

对存在于苏联专制政权内的特殊经济体系，现存的解释显得不足，有鉴于此，我们需要扩展第一章和第二章所提出的专制政权的一般理论，使得它能清楚说明苏联专制政权的特殊经济体系。

专制者攫取的限度

是什么限制了专制者所能从社会中攫取的资源的数量？如前所示，不同于人口众多的社会中的单个罪犯，理性的专制者并不竭泽而渔。考虑到他无所不包的利益，他持续降低税收-偷盗的比例，从完全没收的水平一直下降到这样一点，在这一点上，他从较低的比例所导致的产出和税基的增长中的获益，刚好抵消他因提取较小的产出份额所受的损失——这使他处于收入最大化的税率水平之上。他还可以做什么以攫取更多呢？一种可能性是没收其国民的资本。另一种可能性是以导致非预期性通胀的数量发行纸币供自己使用，这样专制者就可以开始对真实货币均衡进行征税。还有一种选择是对外借款，然后拒绝归还。

我们从第二章中获知，只要专制者预期的执政时间足够短，这些可能性就都可以实现其利益。相反，希望长期执政的专制者通常会因没收财产、实行通胀和拒绝偿债的做法而损失甚大。我假定，至少在 20 世纪 20 年代后期巩固了权力之后，斯大林期望执政（如他在此之前一样）一直持续到老死。在其在位的大部分时间里，他没有用推行通胀的办法来获得资源，并且他非常审慎地归还了对西方公司的借款。在这些方面，他是有长期执政预期的明智专制者的典型。长期执政预期的专制者一般不能从没收资本类财产中获益，因为没收这类财产通常意味着未来投资和收入的减少，进而是税收收入的减少。

因而，对资本物品的征用，因为会降低未来的投资和收入，看来并不能在长时间内增加专制者的税收收入。但有一种办法能够做到这一点，斯大林及其追随者，显然通过多次试错，首先发现了这种办法。

增加储蓄和投资的财产征用

斯大林没收了苏联境内的所有农场和自然资源，以及在新经济政策期间隶属私人所有的全部商业和工业产权，进而，苏联的储蓄率和投资率有了长足的增长。一般而言，在斯大林的革新之后，苏联和其他实行斯大林模式的社会拥有比大多数其他社会远远要高的储蓄率和投资率。斯大林的革新是，为其自身目的征收国家内几乎所有的自然资源存量和有形资本存量，然后使用这些资源生产一系列斯大林所需要的产品，这些产品具有比在其他方式下生产要高得多的资本物品和其他物品密集程度。

斯大林以大致等同于所有租金、利息和利润——所有非劳动力收入——的数量增加了他的年税收收入，与此同时，通过由他自己决定多少国家资源用于消费品生产，并通过将这一比例保持在比大部分其他社会都要低得多的水平上，斯大林给予了苏联非常高的资本积累比率。斯大林在杀死鸡之后，依然继续取其卵。[①]在长期的历史中，似乎在此之前尚无一位专制者做到了这一点。

税收如何能提高工作意愿？

斯大林及其追随者们，不管是出于无意识抑或偶然，又发现了税收方面的第二项革新。斯大林的大部分资源均通过隐性税收这一特殊体系而获得，即收缴国有企业的所有利润而不是显性地向个人征税。

斯大林命令由他安排的掌管经济的下属将工资定得非常之低，并将大部分消费品的价格定得(相对于这些最低程度的工资而言)相对较高。正如罗纳德·麦金农(Ronald McKinnon)就这一主题的重要著作所说明的那样，[②]苏联型社会税收收入的主要来源是工业企业的利润(以及流转税收入。在价格由计划者决定的情况下，这一税收主要是对这些企业的利润征税)。因而，斯大林不仅为其政权获取了国有企业的全部利润(我们从上一节获知，这些利润包括基本上所有的自然资源租金，以及社会中资本的利息或利润)，并且他让他的计划者将工资水平和消费品价格确定在如此的水平之上，以使他所获得的国有企业利润——进而隐性税收——非常之高。(这并不是苏联后期的情形，但我们首先考察斯大林所建立的体系，在后面我们会考察这一体系后来的演变。)

当工资收入定得非常低时，人们就无力享受闲暇生活。每个人都必须进入劳动力市场，其中包括数量甚大的以前从未工作过的妇女。为明确观点，并为了以尽可能简单的方式看清这一体系的逻辑本质，请考虑低于生存水平的基本工资比率。当然，如果这是事情的全部的话，劳动力大军将无法维持生存，国民收入将会减少，斯大林的税收收入也会降低。

但请考虑隐性税收这一斯大林体系的第二个特征：对额外的、超出正常工作时间的、高出标准的或"奖金性"的工作和较高的劳动生产率征收很少或不征收隐性税收。例如，斯大林使用累进的计件工资率，即随着一个人产出量的增加，计件工资的单位支付水平也随之提高。在实行市场经济的民主社会里也存在计件工资，但通常没有累进计件工资制。如果你的工作是采摘水果或推销保单，你可能依照水果采摘量或售出的保单而获得报酬。但你不会因为较高的产量而被支付累进的较高的单位工资，原因很明显，对典型的雇主和典型的雇员来说，这都不是一个有效率的合同。③

斯大林将奖金、累进计件工资比率、对斯达汉诺夫运动（Stakhanovites）*实施奖励以及向其他生产效率特别高的工人发放特殊额外津贴等方式结合起来，从而提供给人们他们边际产出或正常工作时间之外产出的很大一部分，而与此同时，斯大林对他们边际内的工作征收非常高的隐性税收。对正常量的工作征收几乎等同于完全充公比例的税收，而对额外收入或奖金性收入征税很少或不征税，其效果是税收提高了人们的工作意愿。

为什么较大的收入效应和较小的替代效应必然会提高工作意愿？

图 7.1 中，闲暇由横轴来表示，消费则由纵轴表示。为简单起见，让我们假设税收是线性的或税收线是平的，并且税率依据传统的专制原则被设定在收入最大化水平上。让我们进一步假设这一税率也恰好使得这些工人处于维持生存水平。个人的全部产出由图中的税前工资曲线

---

* 斯达汉诺夫运动是苏联第二个五年计划期间开展的提高劳动生产率的运动。——译者注

给出。该人没有获得他或她全部的产出值，而仅得到低得多的专制者收入最大化的税后工资，这一工资在图中绘出。在如图所示的例子中，该人选择 OL_F 数量的闲暇并获得 OA 数量的货币收入。专制者得到 AB 数量的税收收入。

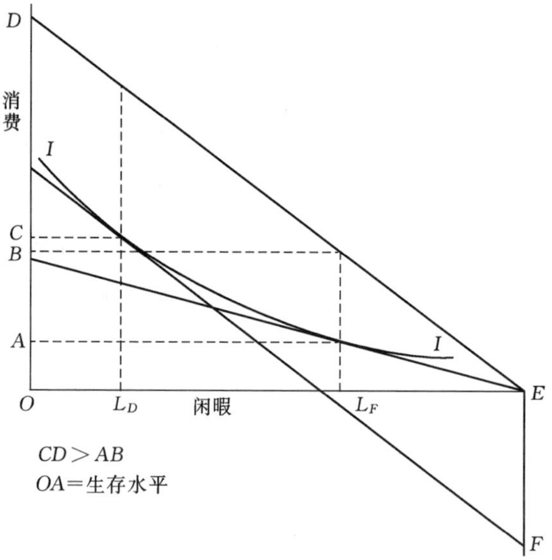

图 7.1　专制者使用总量税的税收最大化

斯大林如何对这种简单明了的专制者最优化选择加以改进？他将个人的工资收入定得非常之低，并以隐性税收攫取该人在正常工作时间内产出值的绝大部分——通过保留国有企业（特别是工业企业）利润的方式，而因工资如此之低，这一利润远较其他情形下要高。

在极端的情况下，个人面对着总额不变的税收 $CD = EF$，而不是对其边际收入征税。该人故而当然选择较少的闲暇。他无法享受很多的闲暇，因为税率很高，并且由于不存在对边际收入征税，他可获得额外工作时间所产出劳动成果的更大部分。斯大林税收模式下的个人将选择 OL_D 数量的闲暇，这将导致高得多的产出。在此情况下，国家会得到 CD 数量的产出，这比一般专制者以收入最大化税率征税的所得要多得多。

该人得到和以前相同水平的效用(以及更多的消费),而专制者获得多得多的收入;无差异曲线(等效用线)形状正常时,*CD* 必然要大于 *AB*。

让我们进一步假设 *OA* 代表了维持生存水平。如果运用斯大林体系,提高边际内税率并降低边际税率(或将其设为零),有可能获得比 *CD* 还要多的税收。事实上,如果我们走向极端来假设政权确切知晓个人的生产潜力,并且知道该人维持生存的水平,那么政权就可以选择一种税收总额固定的税制,以拿走工人所能生产的高于其生存水平的一切,而同时仍然能够让工人付出比在水平税率或根本不征税的情况下多得多的劳动。当然,结果不会如此极端,在以下的两个部分我们将考察更为现实的情形。

在存在能力差异前提下的最大化税收收入

如果专制者针对劳动生产率不同的个人运用不同的税率表,他比在同一税率表适用于每一个人的情况下可以征收多得多的税收。在典型的现代民主社会中,高收入群体比低收入群体面对更高的税率,但每个人都面对同一个税法或税率表。

当每个人都面对相同的税率表时,对人们最初几个小时的工作比边际工作时间的工作征收更高的税收,而同时将税率保持得非常之高,是不可能做到的。很显然,如果对我们工作日的前四个小时的工作征收重税,对其后的两个小时征税较轻,并对随后时间里的工作不征税,那么我们就有大幅度增加工作时间的动机。我们具有强烈的工作意愿,这是因为如果对我们前几小时的工作征税足够重的话,我们变得相对较穷,税收的收入效应将促使我们更多地工作。如果对我们最后几小时的工作不征税,较大的替代效应将促使我们工作得更多。经济效率将会提高。

假设美国决定对个人年收入的前 5 000 美元按 99%的比例征税,第二个 5 000 美元按 98%的比例征税,并以此类推,并对高于某一特定水平的个人收入不征税。这一方法——逆转通常的累进税制,对低收入者以比对高收入者高得多的税率累退地征税——将造成这样一种情况，即劳动生产率最低的一批人将无法获得足够的收入以维持生存。对人们最初几个小时的工作——或更一般地，对他们边际内收入——征税较多，而对他们的边际收入不征税，这样一种提高劳动生产率和效率的税收政策，不仅在道德上令人反感，而且当同样的税法适用于每个人时，这样的税收政策在现实当中也是不可行的。

然而存在着一种方法，狡诈的专制者能够攫取能力较强的人生产的、高出其生存需要的较多剩余中的大部分，与此同时，也能够攫取生产潜力较低的人产出中超出生存水平的剩余中的全部或大部。斯大林和他的顾问们不知以什么方式发现了这一方法，并将这一方法付诸实施。这个方法就是针对社会中每个职业和能力层次制定基本的或边际内的工资或薪金，其目的是从每个职业和能力层次的人们那里征收最多的收入以供专制者之用。

所有需要做的就是，针对从事需要较高能力工作的人们，制定几乎和非熟练工人一样高的基本或边际内工资。处于较高生产率岗位上的能力较强的人被征收高得多的隐性税收。即使需要，也只要用最少的奖赏，就能激励能力较强的人们接受需要较强能力的工作，因为对边际或“奖金性”收入征税极少或不征税的体系意味着，生产率较高的人们可以保留其额外工作中产生的较高产出中的大部分。

图解性陈述

图 7.2 描述了两个人所构成的体系，他们从事要求不同能力水平的两份工作，并且假设政权可以向他们征收按字面意义理解的总量固定的税收。同样，OA 给出了每个人生存所需的消费水平。天赋较低的个人(非熟练工人)的全部产出由 FC 表示；天赋较高的个人(经理)的全部产出由 FE 表示。通过将每份工作的劳动报酬率确定得远低于生产率水平，但对边际报酬几乎不征任何税收，专制者大致可以达到总额固定的税收或人头税的效果。通过对要求高和产出率高的工作比对要求低的

工作更重地征收边际内报酬，即通过使得两种类型工作的基本或边际内工资差别远小于其劳动生产率差别，专制者可以获取能力较强的个人所生产的、高出其生存需要的较多剩余中的大部分。

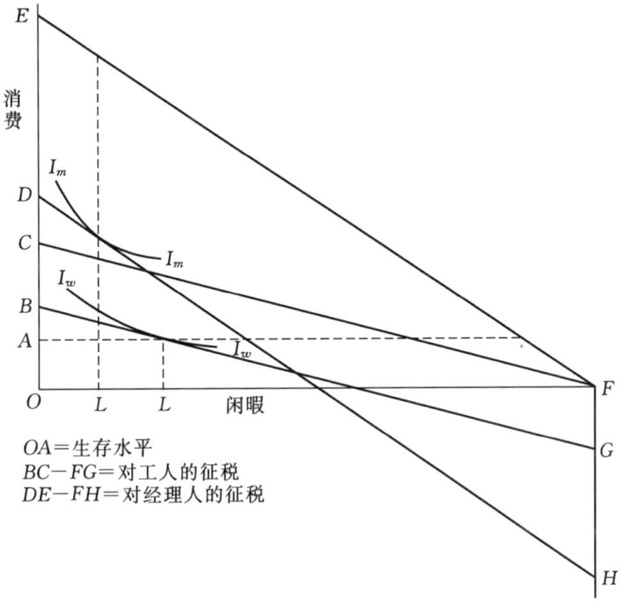

图 7.2　税收-价格歧视

对经理的税收是 $DE = FH$，而对工人的税收是 $BC = FG$。如果经理和工人有相同的偏好排序，则经理必然发现比处于维持生存水平的工人更少地使用闲暇时间，这符合他的利益。阻止专制者将能力较强的个人所生产的、超出他的消费的剩余全部拿走的唯一因素是，对能力较强的个人而言，政权对他们确切的能力和潜在的劳动生产率水平的知识不完全充分。当这方面的知识得以改善，专制者可以获取能力较强的个人所生产的、高出其生存需要的剩余中的更大部分。

事实上斯大林政权并不实行固定总额的税制，而对不同个人的潜在劳动生产率也仅有一个大致的认识。但斯大林政权知道哪些工作要求较高的能力。它实行一种由两部分所组成的工资制度，采取非常低的基本工资的形式，并使得这一基本工资对要求高超能力的工作仅比非熟练工作来得稍高一点。对要求高度技巧和没有此要求的工作，都不存在对边际收入的征税。对最低技巧要求的工作，斯大林政权将其工资定得非常之低，即使在不存在边际收入税收的情况下，工人也仅能得到大致等同于其生存水平的收入，而斯大林政权则攫取了他们生产活动的所有余下部分。生产率较低的工人的情形在图 7.3 中绘出。

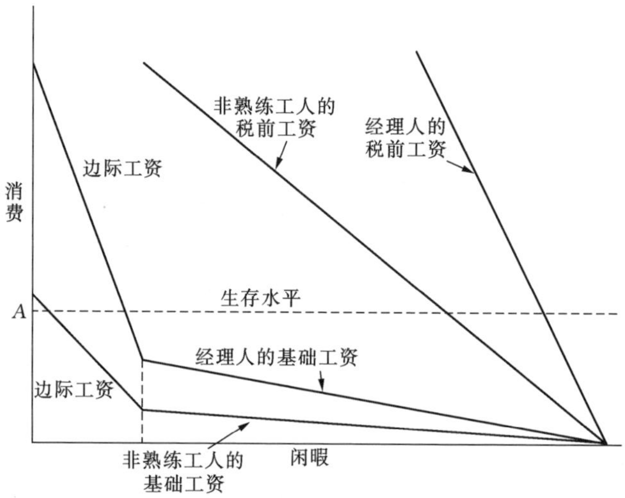

图 7.3　存在歧视的两部分工资

对能力要求较高并且产出率较高的工作，斯大林政权订立了仅仅稍高一点的基本工资，但允许能力较强的人保留他或她边际或奖金收入的全部，或几乎全部。生产率较高的工人的情形也在图 7.3 中绘出。尽管该政权攫取了能力较强的人所生产的、超出其生存水平的较大剩余的大部分，但政权无法得到这一剩余的全部。为了激励能力较强的人们从事产出率较高的工作，并激励他们在这些工作上更加努力，政权必须让他们获得其边际产出的全部或大部，而这些收入高得足以保证这些工人最终得到高于生存水平的消费。

从各尽所能，到老板掌管一切

在斯大林时期的苏联，各种职业间的基本或非奖励性报酬差别很小，这一点据说是源于平等主义的意识形态。实际上，斯大林抛开平等主义观念，而致力于最大化人们从事生产的意愿——对此他毫不掩饰并着力强调。通过对边际收入很低地征税——奖金，分配住房，在工作场所发放稀缺消费品，对斯达汉诺夫工作方式实施奖励，以及类似的做法——并通过订立非常低的边际内收入，使得人们相对几乎无法享受闲暇，来促使从事最为重要、要求最高的工作的人们做出额外的努力。如果这一体系是受平等主义伦理所驱动，为满足专制者需要的隐性税收就不会如此之高，也就不会有累进计件工资，或其他导致边际收入极为不平等的设计安排。

斯大林明确指出，为改善激励机制，收入必须不平等，而且这些不平等也确实存在。我们已经见到，只要边际税率为零或非常之低，斯大林仅需维持边际内报酬率的很小差别.能力较强的个人，如果从事产出率较高的工作，就能以奖金和其他形式的边际报酬的方式挣得比他人多得多的收入。考虑到工资报酬仅能维持非常简单的消费，要求较高的工作所提供的较高边际报酬就更有吸引力。在劳动生产率较高的工作岗位上，能力较强的个人也有比能力较弱的人工作更加努力的动机，这是因为边际收入的税率很低，故而前者因其边际时间的工作可获得较高的税后报酬。

因而，征税最多的税收体系满足两个条件。第一，这一体系对产出率较高的和较低的个人实施不同的隐性税收税率表。第二，在第一个条件满足时，就有可能(甚至在税率非常高时)对边际内收入征收远比边际收入高的税收。我们所熟悉的西方累进收入税制根本不满足这些条件。因此，甚至在攻击市场民主国家的收入不平等时，苏联也从未认真实行过累进收入税制，这一点也就并不偶然了。例如，苏联在很长时间里的收入税最高税率仅为13%。

为了防止国有企业的经理层和工人得到任何专制者隐性税收，企业间支付不得不通过国有银行系统进行；通常企业仅允许保有少量现金。现金支付活动，如向工人发放工资，是由国有银行而不是由企业来进行的。进而，企业经过银行账户的支出也受到计划官员的限制。（在苏联模式国家的后期，这一体系发生了改变，但这一点必须要留到下一章来讨论。）

我们已经解释了这一矛盾，即在斯大林体系下，收入不平等的程度受到限制，而且收入中以税收形式被收走的比例异常之高，但是，和在高税率和不平等程度有限的前提下所能预期的工作意愿相比，人们实际的工作意愿依然要高。高度平等的边际内报酬率，轻税或无税的边际收入，这些正是税收收入最大化的前提条件。用一句古老的谚语来复述之，这是“从各尽所能，到老板掌管一切”。

在斯大林时期的苏联，收入中用于个人消费的比例比几乎任何一个非共产主义国家都要低，而这正是这里的理论所预测的。和历史上其他任何一个政府所能攫取的相比，斯大林能够攫取国民产出中的更大部分用于个人的目的。

农业部门中的社会主义与剥削

斯大林对税收体制的革新，其起因在农业中表现得最为明显。布尔什维克党人1917年接管政权时，苏联主要是一个农业国。农业，并且特别是富农——有较大面积农田的那一批人，创造了国民收入中的大部分。因而，除非布尔什维克党人能够得到农村地区生产出的绝大部分产品，否则他们就无法获取苏联大部分的国民收入，这对他们构成了一个主要的问题。最值得注意的是，他们必须要有剩余的粮食养活他们的干部，这些人主要集中在城市里。他们也需要更多的人在城市里的工厂内干活，制造钢铁和武器，以及更多的人在军队和政府机构中为政权工作。所以苏联需要更多的粮食，而这只能从普通农民和富农那里得到。

为获得所需资源以构建重工业，以及生产武器并向党的干部和部队提供粮食，布尔什维克党人一开始时向粮食生产者低价购买粮食，这样就隐性地向富农和一般农民征收了高税。当然，农民的反应是减少产量，自己生产自己消费，以及私下和非法卖粮。布尔什维克党人获得他们所需粮食的唯一可行方法，是向农民支付足够高的价格以激励他们生产得更多。但这将会耗费大量社会剩余，而该政权希望将这些社会剩余用于工业化发展，用于军队，用于增加政治影响和社会威望的工程。所以布尔什维克党人必须制定一套税收政策，以从农业部门获取更多的可征税剩余，而该部门在当时是苏联经济的主要组成部分。

在斯大林巩固其权力之前，部分更为“激进的”布尔什维克党人认为苏联需要“社会主义原始积累”。这是马克思“资本主义原始积累”——资本主义发展初期的偷盗行为和大发横财，马克思将其归结为资本家起始时期资本积累的主要方式——在社会主义社会的对等物。通过联系马克思主义的经济理论，某些布尔什维克党人认为，只有从富农和一般农民那里得到社会主义工业化进程所需的初始资本，舍此别无他途。尽管斯大林一开始站在反对剥削的布尔什维克温和派一边，但在巩固了权力之后，他很快采取了激进的做法。

其后他便尽数充公全国的农业土地、牲畜以及机器，并对藏匿谷物和牲畜的农民实施极为严厉的惩罚。他对富农格外无情，这些人有着反对斯大林政策的最大理由。那些被分配到每个集体农庄的人被赋予了责任，向国家提供一定数量的谷物或其他粮食。斯大林建立的体系有利于监督，故而隐性税收通常无法规避。彼此隔离的机构向集体农庄提供拖拉机服务，共产党基层组织也有助于防止集体农庄逃避隐性税收。因而，斯大林设计的体系更易于确定人们必须向国家缴纳的数量，并进而以多达他们能够被征收的数量向他们征税。

因此我主张认为，集体农庄主要是征税的一种工具，而不是出于意识形态的要求。意识形态所倾向的组织体系是国家农庄，在农庄内工人被支付工资，而国家获得剩余产品。但国家农庄的大部分产出以工资形式支付给工人，所以这些农庄不用向政权提交大量的剩余。斯大林故而选择了集体农庄，并规定集体农庄成员有义务供应他所要求的数量的产品（理论上的“生物产出”）：集体农庄无法保有所需的资源，以向其成员支付国家农庄的工资。集体农庄不像国家农庄，似乎是为了“税收征集”的目的而不是为了“集体主义”治理而组织起来的。

农民们在向集体农庄提供了大量密集的劳动之后，被容许用闲暇时间在分配给他们的小块私人土地上从事劳作。正如此处的理论所预测的，这些地块上的收入通常不被征税。

以斯大林的观点来看，粮食征集制度起了作用。一战期间，沙皇俄国（尽管它有时曾使用过强制性手段征集粮食）无法向城市里的人提供足够的粮食以维持其统治：二月革命就始于因面包短缺引发的抗议。相反，二战期间的苏联政权

> 在拥有发展良好的采购制度下……发生了依照集体农庄人口计算的人均粮食产量的灾难性减产，全部肉类和谷物产量中政府获取的比重依然增加。和战前相比，集体农庄成员所得到的是较少的总产量中的缩小了的比重。甚至在战前，政府对待农业人口的消费需求的态度就是严厉而专横的……军事化采购活动意味着对农场库存粮食的无偿征收，这在战时变得更为任意专横。④

总而言之，斯大林的革新使得其政权能够：

1. 攫取基本上所有的有形资产、土地和其他自然资源的国民库存，以此将所有这些资产每年的产出加入其税收收入中。

2. 避免投资崩溃，直接控制消费和投资水平以避免这一攫取行为通常会导致的投资崩盘，以此给予苏联远高于其他社会的储蓄和投资比率。

3. 提高对劳动收入的征税，部分地通过引入税收-价格歧视，获取生产率相对较高个人的产出中的较大部分，以此方式将税率提到远高于以前的征税体制下的收入最大化税率。

4. 降低边际税率对平均税率的比率，以此通过收入效应（家庭只能享受较少的闲暇和家庭内生产的产出，所以几乎所有的妇女都必须离家

出去工作)和替代效应(增加对边际劳动付出的奖励)的双重作用,不仅增加劳动收入中用于支付税收的比重,而且增加劳动量的供应。

到这一体系得以完善之时,苏联比历史上其他任何社会都拥有更多的资源,以供其领导者为达到他们的目的而用。

作为烟幕弹的意识形态

尽管斯大林常被视为马克思主义教派的教皇,事实上他并不是一个真诚的意识形态倡导者。毫无疑问,意识形态在解释他的某些支持性政策和做法时可以起作用,但这里的假设是斯大林并不受制于——甚至亦不忠诚于——我们以前曾称之为马克思主义的东西。如果斯大林的确是一个坚定的意识形态倡导者,他就不会杀害那些曾同他并肩作战的布尔什维克革命的早期领袖们,也不会清洗敢于坚持马克思主义原则的布尔什维克党党员,更不会签署苏德条约。斯大林对马克思预测与宣称的国家的衰亡理论也毫无贡献。

然而,他对增加苏联军队的数量和军力,以及这方面的增长所需要的工业和科技基础设施的增长,却所做甚多。尽管斯大林体系的主要特征并不是马克思的著作或列宁的先例——其在新经济政策时期的政策一定意义上是市场导向的——所要求的,但是这些特征却同以下假设相吻合:斯大林最为希望得到的是增长了的税收收入所赋予他的权力。

一个验证:权力对收入的比率

以上理论符合苏联型社会的历史,并且不同于苏联型经济组织源于意识形态的断言,这一理论的分析富于真正的解释性力量。然而,不止一种理论可以符合历史事实,而同时提供有意义的解释,因此我们必须自问,这一理论的哪些潜在含义将使该理论接受进一步的检验。

如果该理论是正确的,那么军事或地缘政治力量,以及增加政治领导人地位和威望的工程项目的支出,相对于其人口的生活标准而言,应高于其他社会——甚至其他专制社会——的相应方面。对历史纪录的大致观察就足以显示情况确实如此。

存在着许多专制国家，为共产主义国家提供了有益的比较。例如二战以来，特别是在拉丁美洲和非洲出现了许多非共产主义专制政权，但它们之中没有任何一个像苏联或共产主义中国那样地位强大或影响重大。当然，这些专制政权不像苏联或共产主义中国那样控制着如此广大的地域或众多的人口。

沙皇俄国尽管是当时世界上最大的国家，但并不能在克里米亚战争中为自己赢得有利的位置。它甚至不能在1904—1905年战胜当时仅为半现代化岛国的日本。类似地，蒋介石掌管的中国尽管拥有世界上最多的人口，但在军事上积贫积弱。

我们还可以比较一战时期的沙皇俄国和斯大林的苏联。一战中，德国从战争一开始就倾全力在另一条战线上同英法作战，通常只使用少量兵力对付俄国，尽管如此，庞大的沙皇帝国基本上被德国一个国家就击败了。[5]与此相对照，二战中斯大林领导下的苏联取得了对纳粹德国作战的胜利，尽管德国在对苏联作战的前线布置了他们大部分的兵力：直到1944年诺曼底登陆之前并不存在“第二战场”。尽管二战中德国地面和空中军需品的产量是一战中的2.6倍，但是二战中苏联军需品的产量是一战中俄罗斯帝国军需品产量的24.5倍。[6]

不管对两次大战中俄罗斯专制政权的不同命运作何种解释，毫无疑问的是，二战后的苏联获得了公认的超级大国地位，这一点是沙皇专制政权从未达到过的。而且沙皇们也没有完成什么足以同苏联向太空发射航天器那样声名远播的创举。

当斯大林体系应用于中国、越南和朝鲜时，这一体系再一次使得共产主义政权在军事和政治上比其他第三世界政权远为强大。在军事上，共产主义中国再也不像它所取而代之的专制政权那样无足轻重了。它（和朝鲜一起）在朝鲜战争中同美国及其盟国打成平手。而且还有共产主义的北越迫使美国最终放弃其在越南战争中目标的壮举。部分原因是美国对越南战争和朝鲜战争的承诺远非完全、美国使用核武器受到限制，以及其他因素。尽管如此，当我们将中国、朝鲜及越南的共产主义政权的军事和地缘政治影响力同它们的前任政权相比，或同具有类似可怜生活水平的其他第三世界国家比较时，我的理论，即共产主义经济在动员资源或征集税收方面是史无前例的有效体制，当然得到了支持。

斯大林体系的低效与衰落

不过，我们不应忘记那个有名的观点，即苏联体制即使在其最好的状态下也是低效的。苏联体制动员了数量极为可观的资源，但它却没有很好地使用这些资源。斯大林的无偿征收制度扼杀了经济有效运行所需要的市场。为了得到那些在市场经济下会成为利息、租金和利润的东西，斯大林征用了苏联境内的资本、土地和其他自然资源，并因此扼杀了私人财产和服务于这些财产的租赁市场。由于扼杀了私有企业，他造成社会无法从私人企业家的创新活动中获利。通过行政手段决定工资收入水平及其差别，以得到劳动力收入中的更大比重，斯大林也扭曲了劳动力市场，尽管由于其税收主要针对边际内收入，所以扭曲的程度比预想的要低。出于斯大林体系资源动员或税收的需要而对市场的扼杀和扭曲，其结果是苏联型社会的全要素劳动生产率要低于——且越来越低于——处于可比发展水平上的市场经济体。

早期的苏联型社会，尽管全要素劳动生产率低速增长，却依然实现了经济的快速增长，这是因为他们的投资率超乎寻常的高。我在前面曾论证，异常的储蓄率和投资率转过来又归因于他们所攫取的国民产出的异常高的比重。二战后大约二十年的时间里，脱胎于斯大林的革新与征服的社会，通过它们非常高的储蓄率和投资率，弥补了它们的低效。

我们已经知道，随着时间的推进，苏联型社会开始停滞。尽管它们得以继续它们的高储蓄与高投资，但经过一段时间以后，它们已无法获得甚至是适度的劳动生产率增长了，[7]虽然它们距离赶上西方的水平依然有很长的一段路要走。[8]苏联型社会最终变得极为僵化并终于寿终正寝了。

为何一个如此适应斯大林的体制——该体制使得他成为可能是世界上最有权力的个人——变得如此之僵化，以致在长时间内甚至无法继续存在下去？这不是一个斯大林自己需要担心的问题。套用凯恩斯的话来解释：在长期内斯大林死了。* 但这是一个我们必须回答的问题，只有回答了这个问题，我们才能够知道为什么苏联型社会逐渐恶化并最终崩溃的。不回答这个问题，我们也无法理解转型为什么会如此困难——或者，后共产主义社会如何完成转型过程并实现西方社会程度上的繁荣。

注 释

① 紧接着对农业和其他生产性资产实施集体化政策之后，在非常短的时间里，显然出现了一段时期的"消化不良"和混乱局面，此时产量可能会有显著的滑落。但在斯大林统治的余下的大部分时间里，斯大林所关心的产出量，要远高于他在苏联实施斯大林化之前的产量。

② Ronald McKinnon, "Taxation, Money, and Credit in a Liberalizing Socialist Economy." In Cristopher Clague and Gordon Rausser(eds.), *The Emergency of Market Economies in Eastern Europe*. Cambridge: Blackwell, 1992, pp.109—127.

③ 市场经济中有些特定情形，如每个雇员的固定成本，或雇主在雇用临时员工时的交易成本，有时会导致计件工资率一定范围内的累进计算。但这些考虑被认为与目下的讨论不太相关。

④ Peter Gatrell and Mark Harrison, "The Russian and Soviet Economies in Two World Wars: A Comparative View." *Economic History Review* 46: 444(August 1993).

⑤ 奥匈帝国的军队也参与了对沙皇俄国的作战，但这支军队经常被视为所有一战参战国军队中最弱的一支，而且在战败俄国中它也没有发挥引人注目的作用。

⑥ Peter Gatrell and Mark Harrison, "The Russian and Soviet Economies in

* 凯恩斯曾说过：在长期内我们都会死去(In the long run, we all die)。——译者注

Two Worlds Wars: A Comparative View." *Economic History Review*. 46, August 1993, table 9 and pp. 425—452. 加特里尔和哈里逊指出:"在一战中……仅仅是因为德国没有将自己从西部前线摆脱出来,使得它没有如愿实现对俄作战的速胜。尽管如此,德国军力的一小部分就足以最终导致俄国的战败和解体。在二战中……苏联军事动员的规模,在和联盟国的绝对经济优势相结合时,便足以完全粉碎德国的军事力量……苏联做出的贡献……与苏联经济发展规模和发展水平是不成比例的。"(p.438)。

⑦ William Easterly and Stanley Fischer, "The Soviet Economic Decline: Historical and Republican Data."1993(未发表手稿).

⑧ Peter Murrell and Mancur Olson, "The Devolution of Centrally Planned Economies." *Journal of Comparative Economics* 15:239—265(1991).

8

共产主义的演进及其遗产

尽管市场在苏联型社会中所起的作用远比通常认为的要大,[①]但斯大林体制显然必须通过命令与控制体系,来处理数量令人吃惊的事务,为达到这一目的,它又必须依赖一支数量庞大的、由特权阶层及重要性相对较低的行政官僚组成的队伍。苏联型经济的领导人——考虑到其必须通过官僚系统做出数以百万计的决定,而其他社会的官僚系统主要由市场来管理——如何才能实现资源配置中甚至是程度非常微弱的理性?这样的体制会对消费者需求不敏感,并会存在导致效率低下的主要条件,这样的观点是如此有名,以致不需对其作进一步的讨论。但这一体制如何能够运行良好足以形成并维持一个超级大国呢?

我已经解释了,苏联专制者的共容利益是如何赋予他强烈的动机,为了增加其税收总收入的目的,尽可能促使其领地变得更为多产。我们仍需解释的是,专制者是如何得以从其官僚机构那里得到信息、计划和决策执行的,而这些是获得连贯性资源配置所需要的。我们必须持续关注对我们的智力构成真正挑战的问题:这样的体制到底为什么可以运转起来？

经济学家、运筹学研究人员和系统分析人员很早就从理论上理解了计划经济充分有效运行需要些什么。共产主义社会的领导人需要让企业经理和其他下属估计每一家企业的各种投入-产出可能性，或者是其生产函数，并极为详细地制定领导人的目标函数或者设定其目的。进而经济计划的制定者在原则上就能为领导人计算出资源的最优配置，领导人让其下属实施这一配置。因为各种条件和各项技术处于不断变化之中，配置的最优化要求整个过程要持续不断地重新来过。

很早以前人们就知道，计算最优配置所需的所有信息，或者将最优配置付诸实施所需的所有信息，官僚体制是无法得到或者处理的。当然，考虑到共产主义国家由隐性税收所动员的资源数量，它们并不需要资源最优配置——它们仅需要最低程度的效率即可。

连贯性计划所需获得的信息

为了让苏联型经济实现可容忍程度上的资源配置——事实上，为了让它从根本上可以运行——官僚机构必须集中处理数量令人惊愕的信息。在市场经济体中，只有厂商需要知道它可从每一投入组合中得到多少产出。如果每一厂商拥有这种关于其生产函数的信息，并且知道其各种产出和投入的价格，那么市场经济体，如果它是完全竞争的话，就会实现资源的最优配置。与此对照，在苏联型经济中，中央计划的制定者需要（除许多显性和隐性的市场之外）知道每一家企业的生产函数。为了制定出一个有效的计划，他们需要使用这类信息，此外他们也要详细了解领导人的各种优先考虑。

从对生产表现的监督和对实际条件的经历中得到的信息，只有在生产过程的第一线才会变得清楚易见。这类信息不得不在官僚机构中层层传递以至高层。而各种指令又必须经过这层层官员的传递才能传下来。当经济活动在范围广大的空间内展开,如农业和零售商业中的情形,信息传递和对经济活动的监督由于涉及的距离增加而变得更为困难。而随着官僚机构体积变大,信息损耗也会不成比例地增加,这是因为发生在等级制度每一层面的理解失误通常会传递到其后的所有层面。

戈登·图洛克(Gordon Tullock)、奥利弗·威廉姆森和其他人曾指出,存在于大型官僚机构中的信息问题类似于儿童的打电话游戏,一个小孩轻声告诉另一个小孩一条消息,而当每一个小孩通过话筒向后面的小孩复述这条消息时,这则消息的内容越来越被扭曲了。在大型官僚机构中,尽管所有相关各方都做出最大努力,依然不可避免地会出现信息的显著损耗和扭曲。

而出于一些根本性因素,最大努力通常并不可得。如果上级知道经理人员犯了错误,后者获得提升或奖金的机会就会减小。因此下级存在隐瞒其不足表现的动机,而且也存在着夸大其所面临的困难和对潜在产量打折扣的动机。在等级制度的每一层面,造成信息扭曲的动机不断积累,所以这些动机会随着官僚机构体积的膨胀而呈现非线性的增长,而且必然地在中央计划经济体中变得极为严重。然而,这里也必然存在着一个起反作用的因素,否则中央计划经济根本不可能会运转起来。

官僚机构内的竞争

官僚之间或官员同工人之间的竞争就是这样一个反作用因素。苏联型社会领导人所面对的从事生产的强有力动机,之所以有时能够被转换成实际经济表现,是因为存在着对官僚机构的信息错误传达和玩忽职守的制约。每个官僚都会受到处于生产活动同一链条或同一序列的其他官僚的限制,即受到那些他们所管理的活动,或者使用该管理者所管理活动的产出,或者向该管理者所管理活动提供投入的官僚的限制。我将处于同一生产序列的经理人与工人称为序列官僚。每位官僚也可能会受到平行经理人和工人的监督，即那些在市场经济中是竞争者的监督。

让我们首先考察序列关系。每个下属，如果其上级认为他，比方说吃的是草挤出来的却是奶，那么他的境况就会改善。上级无法像每一个下级了解自己的产出那样，对几个下属的产出和投入有清晰的了解，同时上级的上级了解的机会就更少了。所以下级经常能够使其表现比起实际情况来要显得好一些。

与某个给定的活动管理者存在序列关系的活动管理者，因为处于有利位置进行恰当的观察，所以尽管往往等级制监督体系做不到这一点，这一信息问题多少得到了缓解。同某个给定的管理者存在序列关系的管理者，也具有制衡有问题管理者的动机。建筑项目的管理者应该知道是否砖块太少，质量太差，或这些砖块来得太迟，而且他通常具有动机汇报（如果不是夸大）这些缺陷。假设造砖企业的管理者错误地宣称他没有收到所需的稻草，稻草供应方显然也有正确的信息，而且具有将这一信息提交给上级的动机。

领导人可以从处于序列关系的从属那里得到信息收益，《内部圈子》（*The Inner Circle*）提供了一个令人不寒而栗的例子，它既是一本书又是一部电影，据说是根据斯大林的电影放映师的真实生活改编的。在斯大林观看一部片子时，电影放映机坏了。斯大林询问原因后，从电影放映师那里得知，尽管这台苏联制造的电影放映机在其他方面和其仿制对象——德国制造的放映机——相似，但因弹簧弹力不够而无法继续工作。斯大林指出需要面向苏联大众推广宣传苏联伟大成就的影片，一位负责制造诸如电影放映机之类物品的责任心较强的高层官员也被清洗掉了。推而广之的观点是，从处于序列关系中的官僚那里得到的、由其他官僚管理的组织绩效的信息，必然显著改善了苏联型社会的领导人所能得到的信息，并因而有助于解释为什么这些社会能变得如他们实际做到的那样强大。②

有意思的是，苏联使用了一套用心良苦的制度，由公允的仲裁员和法官组成,部分目的是就企业间供应物品和劳务的质量和时机引发的争端做出裁决。这些仲裁人员的决定和报告必然有助于中央获得更好的信息。苏联在1968年至1980年期间,国家仲裁机关(Gosarbitrazh)每年就要审查650 000至700 000例争端。[3]

正如此处的理论所预测的那样,苏联型社会的质量问题在消费品领域最为突出。这可由早先那个论点来得到部分的解释,即领导层将资源从生产消费品以满足大众需要,转移到满足领导层自身的目的,并因此获利:生产低质量物品所耗资源较少。但在苏联型国家中,某些生产出的消费品质量如此之差,以致政权和消费者双方都会因为质量的提高而获益——这些消费品有时是滞销货。

请注意个人消费者不同于国有企业的管理人员,对于等级制度中高于应对产品缺陷负责的企业管理人员的那部分人,他们的位置使得他们无法接触和影响这批人。工厂管理人员能够接触到官阶比其要高的官员,并令人信服地自我辩护说,除非负责供应的企业提供数量适度的投入,否则完成本工厂的任务量是不可能的。个人消费者没有类似的机会,而且消费者没有组织起来集体投诉。因此,相比较为其他国有企业制造物品和劳务的企业的管理人员,那些设定为向消费者供应物品的企业,其管理人员处于更好的位置去隐瞒产品质量的低劣状况。令人感兴趣的是,苏联军工企业联合体甚至拥有这样的名声,它所制造的消费品——它有时为自己的管理层和职员生产消费品——比起一般消费品部门的产品质量要好。

现在让我们来考察平行管理人员。管理那些在市场经济下会被称为竞争性厂商的企业或其活动的官僚,能够对某个特定管理人员的虚假汇报形成制约,并赋予后者提高生产效率的动机。假设某个管理人员在分配给他的投入既定的情况下,对使用这些投入所能生产的产出打折扣,或实际产量远低于其可能产量,被赋予类似投入和任务的平行管理人员,就有通过承诺或实际生产出较多的产量来造成好印象的机会。因而,当平行管理人员之间存在官僚间的竞争时,在分配的资源量既定时将潜在的生产率上报得较低，或在给定资源量时实际产量较低，对此每个官员必然相应地非常谨慎。机警的上司会相应地利用下属间的竞争，以盘剥他们较为详尽的知识，并对潜在产量做出较好的预测，以及督促他们提高劳动生产率。④

只要对官僚间相互竞争而不是相互共谋不存在疑问，处于制造普通私人物品的计划经济或等级制度的顶部的人，甚至可以创造出一种特殊的竞争性市场。实际上，负责某一工业部门的部长可以要求其下属投标——就给定资源数量时他们将会得到的产出数量做出承诺。⑤在本质上，下属对资源的要求和对产出的预计构成了某种拍卖市场。对该部门手中掌握的投入，处于顶端的官员就能在投标者之间以实现最大产出的方式进行分配。这些下属对他们自己的下属可以使用同样的战略，并以此向下类推，竞争性市场许多有利于提高效率的特性便可以在计划经济中得到复制。当然存在着判断不同投标的可信度的问题，以及其他的复杂因素，所以这些体系运作起来会很不完善。

尽管如此，当官僚体制生产可计数、甚至可售出的交易性物品，并且对下属间的竞争确信无疑时，下属间的竞争就形成了某种市场，并且存在着效率收益。当政府制造公共物品，如即使可以量化也无法很好量化的国防、公共卫生措施、基础科学研究等产品时，通常就无法比较不同官员或部门生产的产量了，所以即使是我们刚才描述的此类非正规市场也都无法运作。但当——如在苏联型经济中——等级制度的大部分生产可计数可售出的交易性物品时，此类市场可为效率做出贡献：此时，处于任何层次上的官员相互间的竞争形成某种非正规的拍卖市场，该市场为按等级制组织的生产带来少量效率。

隐蔽的共谋

以上进行的讨论假设下属间的共谋并不限制官僚间的竞争，也并不减少中央所得到的信息或权力。在苏联型经济的发展早期(或者是在一场清洗运动,或一次如毛泽东所发动的“文化大革命”,或另一种形式的全面社会变革之后),这是相当现实的假设。但正如我们在本书前面所注意到的,在稳定的环境中,共谋和其他形式的集体行动随着时间的推移将会增加。

这种共谋可能首先出现在特权阶层和其他高层官僚中。不管苏联的行政官员间是否存在序列联系或存在水平关系,他们在通常情况下都构成了一个小集团。为某一特定国有企业提供主要投入的企业,以及作为这个特定国有企业的产出主要使用者的企业,它们通常在数量上很少,所以只有少量管理人员处于序列联系之中。对水平关系的企业或活动来说,情况也是如此——其数量通常类似于市场经济中寡头垄断行业里厂商的数量。事实上,共产主义政权对超大型工厂和企业的偏好,有时会导致水平关系中管理人员更为稀少。(然而,在某一特定国企中,从事“竞争性”工作、并因而处于水平关系中的工人的数量有时则大得多。)

因为处于大部分联系——不管是序列联系还是水平联系——之中的人员数量稀少,管理人员能以比大型团体所要求的时间快得多地组织起来。然而,在共产主义社会中,对独立组织的限制——特别是削弱领导人控制的组织——意味着共谋必须以不明显、非正式和秘密的方式来进行。只有经过了一段相当长时期的隐秘共谋之后,当集团已经获得了相当的内部人影响力,以致凭自身之力成为一支政治力量,只有在此时共谋组合才会显山露水。隐秘操作的需要使得集体行动的出现比在其他情况下要慢得多。显然,数量确实很大的一群人无法秘密组织起来,所以那些会削弱领导层控制权的大型组织(如独立的工会)并没有在共产主义国家出现。

因而,在苏联型社会里随着时间的推进,许多团体——特别是某些特定行业里高层行政官员和企业管理人员组成的小型团体——存在着非正规地隐蔽地组织起来的机会。经过更多的时间,下属的下属们也组织起来。后来这种小型团体隐秘的共谋能够向下到达工厂、矿产、集体农庄及零售商店内高层工人组成的圈子。最终甚至企业协会和行业协会也能变为共谋组合或内部人游说团体，它们更多地为其管理人员和成员的利益服务，而不是服务于中央或整个社会。到这一阶段，如此多的权力被分散转移，共谋组合有时能够或多或少公开地使用它们的权力。

序列联系中的共谋

对序列联系中的管理人员而言，共谋的利益至少在相当长的时期内不会特别大。领导层注意到其是否得到了所希望的最终产品。尽管对这些最终产品负责的下属，存在着指责供应者提供的产品有缺陷的动机，但他们这样做的能力受到供应者、次级供应者等的利益制约。因而特别是在军工行业联合体中，领导层肯定持续不断地从序列关系下属的信息中获得某些利益。

尽管如此，至少在最终产品不太可能被领导层注意到的情况下（例如为大众所生产的消费品），行政官员私下里的合作使得事情更糟。举例来说，尽管服务于普通消费者的零售企业和医疗卫生提供者，因其很少受到注意而可以马上获得利益，但这些企业的供应者，仅能通过与监督不善部门的企业间的共谋，才能分享这些利益。如这一共谋得以隐蔽实现，零售企业和其供应者一道，通过向消费者提供较少的物品并保留剩余部分，从而得以获利。最终，消费品零售部门的某些利益团体甚至共谋反对增加消费品的供应，因为价格是固定的，较少量的供应意味着，零售部门的职员从分配这些物品中能得到的好处乃至贿赂都将会增加。在这些情况下，显然存在着与供应者之间互利性共谋的空间。

随着时间的推进，那些处于序列关系中、甚至处于对领导层具有优先意义的领域的官员，也能够通过对各种形式国有财产盗用的共谋而获利，尽管是整个社会的强有力的“拥有者”——专制者或政治局成员——因盗用而遭受损失。一般来说，只有制造物品和接受物品的企业确切了解一方向另一方供应的数量。如果这些企业的管理人员共谋为他们自己保留一小部分，领导层几乎无法注意到，所以所有需要做的就是各方间的可靠共谋。相关管理人员的高级下属最终会发觉发生了什么，若出现了这种情况，集体行动的范围会扩展开来：更多物品被保留下来并在它们之间分配。这些形式的集体行动越是常见，它们的危险性就会越小，并且参加的人数就会越多。最终，这一共谋成为一种规范，整个企业都加入进来，而且需要使用为盗用公共财产而组织的集体行动的成果，以吸引职员进入某一行业。⑥

水平联系中的共谋

在苏联型社会中，真正大获成功的是处于水平联系中的行政官员的审慎集体行动。让我们来考虑一下会提高整个行业生产潜能的知识进步问题。如果国家领导人知道这样的知识进步会带来多少额外产出，则配额会相应增加，而且资源会重新分配以获取最大受益。但社会和中央计划者不能得到每个行业每一时期技术进步的全部知识。他们依赖于本行业的专家和管理人员。这些知识进步的生产潜力应被中央领导层所低估，这符合该行业内企业管理人员的集体利益，并且也符合整个行业的管理人员的集体利益。

行业领导人和企业管理人员接受额外资源后，按要求须提供更多的产品，但只要这些额外产出在事实上并不是可能得到的最大产出（而且如果有人知道这一最大产出的话，也只有行业领导人和企业管理人员知道），接受更多资源也符合他们的集体利益，因为这些资源的一部分也可用于保障他们的个人目的——用于补充企业经理层或工人的收入或闲暇。因此，当共谋成为一种常见现象，行业内企业的管理人员不管是独立于行业领导人，或是同他们结盟，具有垄断有关从被分配的资源中可获取额外产出的信息、以共谋针对处于更高地位的人的集体动机。

共谋扼杀竞争性投标

下属向其上司做出承诺或投标以竞争资源，这一非正式市场因上述原因失去了其强化效率的特征。如果某一行业某一层次上的下属加入集体行动，即使是隐蔽地加入，他们都会运用集体力量，就不相互进行投标竞价达成协议并从中获利。他们一致同意面对分配给他们的资源，向上司承诺较少的产出，并提供给上司较少的产品。这样就会出现他们可以控制、并可部分用于他们自身福利的剩余。

共谋的证据：预算软约束

这一权力转移过程最终会达到这样的地步，在此处企业的收入并不是依据它对实现政治局目标的贡献大小，也不是依据销售收入，而是取决于其政治行政权力。这样的结果在非典型案例中表现得最为明显，如有一段时期在匈牙利就是如此，在该国，被认为是复制资本主义市场并加以改进的社会主义价格体系观念得到了官方承认。依照此理论，国有企业可得到的资源应该以其收益和（通过借贷和债券融资）预期未来收益为限，这和市场经济中的私人厂商一样：当价格适当时，收益不能弥补成本的企业，其经营活动导致经济全部产出的减少。

匈牙利经济学家亚诺什·科尔奈（Janos Kornai）指出，经常发生的是，厂商所得到的资源同其现期或未来收益关系很少，或根本没有关系。亏损企业和盈利企业获得资源的可能性大致相当。理性经济一个不可或缺的要求——不能弥补成本的企业和经营活动最终必须停止消耗资源，从而停止减少社会收入——已不复存在。科尔奈将此荒唐的情形称为“预算软约束”（the soft budget constraint），这个术语非常适合于理解共产主义的后期阶段，它在经济文献中已经十分有名。当然，预算软约束也意味着，产生大量盈余的经营活动无法像社会理性所要求的那样得以扩大经营。

为了看清楚本章讨论的现象是如何导致了预算软约束的最终出现，也为了描述预算软约束如何对经济运行产生灾难性影响，我们可以做一简单假设，即一家企业的政治行政权力同其经营规模成比例，或换个指标，同职工人数成比例。那么相关部门(行业或政府部门)——或(更糟的情况)整个经济——的全部收入将依照企业的规模或其职工人数在企业间分配。经营活动或企业的价值与接受的资源量之间将不存在任何联系！现实中政治权力的分解转移不会严格依照企业规模或职工人数的比例来进行，但很可能趋向于这些比例。因此，上面描述的权力的分解与转移，最终会使苏联型经济的计划丧失任何理性成分，不管是从专制者还是从全部人口的观点来看都是如此。当这样的僵化过程发展到程度很深时，预算软约束对社会造成的损失必然会十分巨大。

研究苏联型社会的专家发现了许多类型的行为，这些行为可以肯定归因于隐蔽的集体行动。例如，杰里・休(Jerry Hough)和默勒・费恩索德(Merle Fainsod)曾希望了解"是否在苏联如同在西方一样，大家所熟知的被监督者转而控制监督者的情形没有出现"⑦。类似地，迈克尔・蒙迪亚斯(Michael Montias)⑧描述了发生在波兰社会的一段可与上述情形作比较的进程——这一进程很大程度上对20世纪70年代后期波兰经济崩溃起了推波助澜的作用：

> 现在被称为"政府部门游说集团"的团体，当时成功地施加了压力，为它们指导的企业争取了更多的投资和进口，而这发生在不论是增加投资还是进口都将对经济造成极为不利的影响出现很久之后。

再回到匈牙利，安德拉斯・纳吉(Andras Nagy)⑨和厄尔泽贝特・塞莱(Erzsebet Szalai)⑩均描述了这样一段进程，在其中大型企业的集体行动成为政策制定和经济运行中的支配性力量和有害力量。

如果相互分离的共谋团体、企业和行业组织中的每一个体都具有推动社会运行的强烈动机，则上述的隐秘集体行动的不断累积将不会对苏联型社会的生产率造成如此重大的损害。尽管高居于中央的专制者或政治局成员对提高社会劳动生产率有无所不包的利益，但这些相互分离的共谋团体和特殊利益组织却没有这样的利益。他们的动机很像市场民主社会中特殊利益狭隘组织的动机，并几乎像单个罪犯的动机那样充满了邪恶不当的成分。

执法与腐败

第六章讨论了违反市场规律的政策是如何削弱守法行为并推动官员腐败的，这是因为这些政策促成了这样的局面，其中所有相关各方拥有共同利益以规避法规，对当权者隐瞒规避行为，并贿赂相关官员。我们知道，苏联型体制隐性税收独特的高税率意味着对市场大量的干预，而这导致了腐败的盛行。但苏联型体制违反市场规律的特征并不足以充分说明制度促成腐败的倾向。回到我们早先所作的固定匪帮的比喻上，我们就可以对此做最好的理解。

将隐性税收体系同传统上专制者以税收方式进行偷盗作比较，苏联型体制促成腐败的最为显著的特征就很明显了。将社会上的生产性资产和产品存放在其国民手中的专制者必须要同避税作战，但维持社会秩序的大部分工作都是由其国民来完成的。每个国民都会保护自己的财产，这使得传统型专制者可以将其国民中的偷盗行为限制在一定范围之内，并将其官员的受贿活动控制在一定程度之内。

与之相对照，如果专制者将其领土内自然资源和有形资产产生的所有租金、利润和利息全部拿走，并以最大程度地得到劳动力隐性税收来设定工人的工资，则其国土之内几乎不存在私人财产或私人经营的生产活动。除了某些个人物品以外，其国民几乎没有出于他们自身私利需要保护的财产。每一个相当规模的企业的固定资产和库存都属于专制者，他是唯一自动具有保卫这些财产的动机的人。为最大化地收取隐性税收，专制者及其下属必须控制几乎所有的生产活动，因此每个管理人员都部分地是税收官员。

专制者因而拥有了任何人都照看不过来的财产和税收收入，所以必须要找一大群人来照看这些财产，而且必须要有人来照看这些照看者。

如果那些照看得最好、为中央收税最多的人受到奖励，而那些遗失了财产、收税最少的人受到惩罚，那么每个人都受到别人的照看，且所有的税收都得向上传递：照看者和收税人相互照看和收税。尽管推翻专制者并发还他所攫取的不义之财符合他们所有人的利益，这样的反抗行动将是成百万人的集体物品，但采取步骤以得到这一集体物品会带来高昂风险，单个人则不具备承担这些风险的动机。

联合起来

但当专制者的国民在小型团体中最终形成了彼此间足够的信任时，他们就会为他们的共同利益在集团内安全地共谋。截留部分不义之财符合他们共同的利益。只要截留产品、偷盗国有财产或者不尽责工作只在共谋的小圈子内为人注意，它们就不会被中央发觉。专制者无法亲眼看见，他只能通过底下人的汇报才能了解。小圈子内的每个人都会得到共谋收益的相当部分。随着时间的过去，越来越多的小圈子达成明确协议或形成默契，他们将较少地工作，将他们控制的资源更多地用于他们自身的目的，并将更多的国有财产在他们自己之间分享。

然而，小圈子所能得到的是有限度的，超过这一限度，就会被圈子外的人发觉。如果管理人员拿得太多，其下属就可能会注意到。如果A部门的人拿得太多，B部门的人可能就会知道。所以，管理人员及其下属，或A部门和B部门，如果经过一段时间能够相信对方会保守秘密，他们就能达成协议，为他们自己更多地保留他们生产的产品和控制的资产。最终整个企业、行业、地区、甚至是种族或语言团体形成协议，如果不是明确的协定也会是以默契的方式，认为他们能够而且也应该为他们自己保留更多：越来越多的财产就这样被夺了回来。

中央有监督国有资产照看者的人员：高级官员、党的干部、警察、秘密警察以及其他监察人员，他们的工作是保证专制者的财产没有遭到任何偷盗，并且每个企业、行业、地区以及种族-语言集团为中央生产出大量隐性税收。但如果除中央外没有任何人拥有财产，而且除中央外没有任何人具有得到隐性税收收益的法定权利，那么除中央外的每个人都有动机去引诱这些官员，使之成为不计其数的阴谋的一部分。

如果从事监督工作的官员能让中央相信，他们保卫财产、增加隐性税收收入的工作完成得很好，他们可能会受到中央的奖励。但即使是截留产品或盗用资产收益的很小一部分，也可能会比因官职提升所获得的额外工资价值更高。对这些官员而言，最好的结果是受到提升，然后在更广泛的经济领域内分享隐性税收和国有财产。当然，防止这样的事发生是中央的利益所在，但中央对所发生的一切，除了下级官员外几乎没有其他的信息来源，而所有这些官员都可从参与阴谋中获利。如果中央依据最轻微的怀疑做出最严厉的惩罚，那么对体制而言不可或缺的官僚之间的相互竞争就会维持得较为长久一些，所以斯大林式的清洗并不像曾经认为的那样对体制有害，甚至可能会使体制运转得更好。尽管如此，在长期，隐秘的集体行动所遇到的困难必然会在越来越多的企业、行业、地区以及种族-语言集团内得到克服。

苏联型社会的运动规律是，他们不仅必然随着时间的推进而逐渐衰退，而且必然会变得越来越腐败。[11]最终会变得像某些人所说的，买东西是不可能的，偷东西却很容易。越来越多的体制受害者开始相信，不拿国家的财产就是抢劫自己的家庭。也就是说，一部分人开始发自肺腑地、直觉地感受到，他们应该拿些东西回来是绝对正确的。

狭猛利益取代共容利益

除了为得到其捕获物而做的最低支付外，专制者攫取一切，所以他对整个社会的劳动生产率拥有共容利益，因而他尽力确保社会的生产效率，以更好地满足其需要。相反，每个共谋圈子、企业游说团体、行业协会和地方社区从社会产出中所得甚少，以致每个这样的团体仅拥有一个狭猛利益——也就是说，对维持社会生产率仅有微弱动机或根本没有动机。这样，危机总有一天是要出现的。

当将本章的观点和前面几章中的理论联系起来看时，本章的观点另外还有几个引申的意义，特别是针对转型社会而言。这些意义不同于由对共产主义和转型的常规看法而产生的意义。因而，我们能够将目前这个观点的推断——以及广为人知的观点的意义——和事实进行比较，而这是第九章的任务。

注 释

① 因为对庞大的经济体所产出的不计其数的物品和劳务，官僚机构无法全部进行决策，所以数不清的决策事实上由国有企业间的讨价还价和合同所替代，还有就是留给了形形色色的合法市场、非正规市场和黑市。

② 当价格太低无法出清市场时（这样的情形太为频繁），接受方企业将更多地依赖于供应方企业的选择，这会减少接受方企业汇报其供应方缺点的动机。我非常感谢彼得·姆雷尔（Peter Murrell）提醒我注意这一点。

③ Heidi Kroll, "The Role of Contracts in Soviet Economy." *Soviet Studies* 40:349—366(July 1988). 黑迪·罗尔（Heidi Kroll）的文章对签订合同前和合同中的争端仲裁也做了很有价值的分析，对苏联的仲裁和法庭饶有兴趣的介绍，请见 Harold Berman, *Justice in the USSR: An Interpretation of Soviet Law*. Cambridge: Harvard University Press, 1963。

④ 共产党在企业内的独立代表不同于企业的官方行政人员，他们强化了官僚间的常规竞争，并进一步改善了领导层获得的信息。党在工厂里的代表，其运作有些类似中国的皇帝所采用的巡查或监察制度，通过抑制下属提供歪曲信息的动机，来提高官僚间竞争的有效性。

⑤ 我感谢劳伦特·马丁（Laurent Martin）提醒我注意这一点。

⑥ Clifford G. Gaddy, "Pretending to Work and Pretending to Pay: A Hedonic Wage Approach to the Behavior of Soviet Workers and Manages." Brookings Institution Working Paper.

⑦ Jerry Hough and Merle Fainsod, *How the Soviet Union is Governed*. Cambridge: Harvard University Press, 1979, pp.446—448.

⑧ Michael Montias, "Poland: Roots of Economic Crisis." *ACES Bulletin* 24: 12—14(1982).

⑨ Andras Nagy, "Institutions and the Transition to a Market Economy." In

Christopher Clague and Gordon Rausser (eds.), *The Emergency of Market Economies in Eastern Europe*. Cambridge: Blackwell, 1992, pp.301—310.

⑩ Erzsebet Szalai, "Integration of Special Interests into the Hugarian Economy." *Journal of Comparative Economics* 15: 284—303(1991).

⑪ 考虑到上述的逻辑,以下事实就丝毫不令人疑惑了:苏联型政权通常要求国有企业通过国有银行系统进行所有的支付活动,而且只要在可能时就试图防止企业使用或拥有现金。这便利了中央对企业的攫取,并且使得企业留存利润更为困难。

在苏联型体制崩溃之后,私人厂商大量出现,这意味着更多的企业使用规模可观的现金。这些私人厂商受到黑手党团伙的敲诈勒索,而不拥有现金的国有企业并不曾受到类似敲诈。这一因素很可能推动了许多国家在苏联型体制崩溃之后黑手党类型犯罪的增长。伴随着旧秩序崩溃的混乱无序很可能在同一方向上起着作用。自由媒体的出现在很大程度上改善了对犯罪行为的报道并使之更为凸显。因而,若干因素共同作用,导致在苏联型体制崩溃之后犯罪增加并使之更为凸显。按我的观点,这些因素并没有改变更为本质的现实,即官员的腐败和大量滋生的犯罪是斯大林不同寻常的隐性税收体系的自然遗产。

9 对转型的意义

至少在转型过程之初，倾向于快速休克疗法的人和倾向于向市场经济渐进转轨的人都在同一个层面上谈论转型：它是从马克思列宁主义意识形态控制下的体制向资本主义民主观念控制下的体制的转变。而且双方都认为，旧体制是基于对共产党领导下的国家所有制和计划经济的信仰；相反，转型社会正在建立的体制是基于（如西方社会一样）对民主政府治理下的私有产权和自由市场的信仰。在后共产主义国家中，转型主要是指由私有产权和经营替代国家所有和计划经济：转型的核心是国有行业的私有化。

争论得最激烈的问题是，从国家所有和国家经营向私人所有和经营的转变应以多快的速度推进。休克疗法者们希望快速的整体的私有化，而渐进主义者希望较慢的政府计划下的层层推进的（而且在某些情况下仅是部分的）私有化。这场争论是隐喻间的争斗。休克疗法者指出你无法用两步来越过深渊；而渐进主义者则说，你不能指望刚得过肺炎的病人迎着凛冽的寒风去跑马拉松。

对谁应该是(或早就应该是)国有产权的新的私有主人,对国有产权出售收益应该怎样分配,存在着许多学术上和政治上的意见分歧。人们甚为关注的是,不管是外国公司,还是旧体制下的高层管理人员和行政人员,都不应该以不公平的低价(或根本不支付价格)得到大型国有企业中珍贵的资本,而且,由于共产主义国家高储蓄率所积累下来的数量庞大的资本也应该公平地分配。

对所有权和接受权的关注,不仅对转型社会的政治分化,而且对西方专家间的讨论都很重要。例如,某些西方经济学家认为(或曾经认为),将国有企业交付给其雇员是不公平的做法,部分是因为资本密集行业的工人会很偶然地得到比劳动密集行业工人更多的财富;另外一些经济学家为大规模私有化设计了大量的方案。苏联型政权有着异常高的投资率,并积累了数量庞大的资本,这是很有名的,所以人们通常理所当然地认为(或曾经认为)对这笔资本的处理利害攸关。例如,两德统一后,在德国创设了资产委托管理机构(Truehandanstalt),不仅用来管理和出售或经营民主德国积累的资本,而且受托为民主德国人民保有出售和管理这些资产的收益。

因而,转型被休克疗法者和渐进主义者共同视为一种意识形态控制下的体制由不同观念控制下的体制所替代的过程,而且国有企业的私有化被视为这一过程的核心。争论的主要问题是,现存国有企业应以多快的速度经过私有化实现国家经营向私人经营的转变。这样的常规观念中显然存在着部分真理,而且私有化应以怎样的速度推进的问题是非常重要的。然而同样令人不安的是,这些争论在相当多的情况下都是通过隐喻来进行的,而隐喻可能无法为必须做出的具体选择提供指南。面对转型社会中正在发生的某些最为重要的事态,这些熟知的观点也会让我们困惑不解。

在苏联型体制的最后日子里,特别是在转型期间,通货膨胀十分猖獗。不管是马克思列宁主义意识形态还是自由主义民主主义意识形态都不提倡(甚至不宽容)高通胀率。没有任何经济理论提出快速的或缓慢的私有化过程会导致通货膨胀。不管企业由私人还是大众控制，高通胀率都是一个主要的问题。那么为什么高速通胀是大部分的转型、有时是在转型前的最后几年（如戈尔巴乔夫在位时）的显著特征？熟知的关于转型的观点和就转型应如何进行的主要辩论，都没有引导我们去预期发生在许多后共产主义国家的高速通货膨胀。

所有宏观经济学派一致认为，当政府财政赤字占一国国内生产总值的相当比重时，并且这一财政赤字由新创造的货币来弥补，通货膨胀将会出现。所有观察家一致认为，大部分转型社会都有大量政府财政赤字，且这些赤字由创造货币得以弥补。新旧意识形态都不认同这些赤字，也没有引导人们去预期这些赤字。私有化抑或不进行私有化都无法解释这些赤字。那么为什么许多转型社会将巨额货币化财政赤字导致的通胀恶果强加给它们自己呢？

一种税收体系的衰落与崩溃

巨额财政赤字正是一种税收体系遭硬化症侵蚀后可以预见的结果。我们见到了苏联型社会中几乎没有针对个人的类似于收入税或其他显性税收的东西。取而代之的是，这些社会采用税率特别高的隐性税收，而他们为推行这一税收体系，将工资和物价水平设定在为国有工业企业带来大量利润的水平上。专制者攫取了这些利润。

随着时间的推移，管理人员、官僚、甚至工人联合起来，开始隐秘地分享对国有企业的控制（最后经常是成为主要的控制者），而这些国有企业是税收收入的主要来源。税收收入不断减少。对中央来说曾经是税收的部分，后来变成了成本——被企业及其管理层、工人及供应方截留了下来，或仅仅因为效率低下而浪费掉了，有时甚至确实被人偷走了。当中央变得比以前更为贫穷更为虚弱时，它甚至需要为公众舆论而担心，这使得甚至在困难时期限制消费、养老金发放和社会服务都变得愈加困难。

在政权后期，许多苏联型国家发现需要向国外借款，但还款能力如此有限，以致其中某些国家很快到达了它们还款能力的极限，或者甚至拖欠了贷款。到了戈尔巴乔夫时期，如果不是印制了大量新货币，中央就完全无力支付其账单了，而且在苏联体制的最后日子里，苏联政府几乎根本无法征收任何资源。在斯大林时期，这一政权为国家攫取了特别高比例的国民产出，但到了后期衰落到如此地步，甚至已经无力支付政府的基本服务了。崩溃的最为重要的单一因素，我认为是政府已经破产了。

随着民主化的推进，中央失去了甚至更多的权力。在民主体制下，大型国有企业里的管理人员和工人成为为集体行动而组织起来的主要团体，他们不再需要秘密运作了。新社会中权力最为强大的游说集团和卡特尔自然不打算成为新的中央的收税人。相反，他们希望得到——并且得到了——额外的补贴。所以税收收入的主要来源失去了，并被强有力的、新出现的要求得到补贴的人所取代。在税收体系已然死亡的情况下，补贴只能主要来源于银行系统发行的新增货币。其结果是——正如其不得不是——更高的通货膨胀率。

除非由内部人得到，否则不会有大规模的私有化

如果私人管理和市场激励使得企业生产效率远高于国家管理和经济计划，那么国有企业的管理人员和工人（有权对该企业的收入提出要求）均应希望对企业立即实行私有化：如果企业变得更为高效，通常应该有更多剩余以供他们对自己实行奖励。在某些大型国有企业中，管理层和工人确实希望迅速私有化。

但在许多大型国有企业中，对私有化和一般来讲的经济改革存在着令人惊异的而且是非常强烈的抵触情绪。经常出现的情形是，如果大规模私有化得以展开，它仅是这样一种形式的私有化，即（如在俄罗斯发生的那样）将企业主要给予内部人和（特别是）现存管理层，并使得同一批

管理人员像以前一样掌权。在许多前共产主义国家有一句老生常谈的话,大型企业的私有化没有带来任何改变。尽管这有一些夸张,但它抓住了事实的本质:在苏联型体制结束之时,在很大程度上大型企业在政治上非常强大,中央无力进行强有力的控制,而且常见的情形是它们依然如此强大,以致甚至在出现了私有化时,这样的私有化几乎没有带来任何的变化,除非是企业管理层自身所希望的改变。

以俄罗斯为例,许多大型国有企业将它们的游说力量结合进了公民联盟(Civic Union),而后者主要是反对经济改革的。当大规模私有化确实出现之时,这样的私有化只是建立在这样的基础之上的:将大部分私有化了的企业的所有权交付到其现存管理层和工人的手中。在所有前共产主义国家,受雇于大型国有企业的通常都是最为保守的一批人。对私有化的这类抵触反对经常被解释为意识形态因素,我们认为意识形态确实在其中起了某些作用。然而我们必然觉得迷惑不解:如果私人管理和市场激励会使得与大型国有企业相关联的这批人生活得更好,为什么他们会带头反对?

在许多情况下,真正市场导向的经济改革事实上不会使与大型国有企业相关联的这批人生活得更好,至少在时间短得让他们无法产生任何信心的情况下是如此。当我们回过头来考虑第八章所描述的体制僵化过程时,我们马上看到了原因。尽管苏联型社会在斯大林主义早期存在着(主要是因为专制者的广泛的利益)促进大部分投资的生产效率的某些基础,在后期的僵化年代里情况就不是这样了。在这一衰老阶段,在对生产的组织和对投资的配置中,各个企业和集体行动圈子中的内部人政治官僚权力所起的作用,和相对生产效率的作用同样重要。由于体制僵化所带来的预算软约束,投资无法被导向效率最高的使用途径。

苏联型企业的残骸

甚至企业行为的范围和规模都变得极为非理性。例如,波兰国内最大的养猪场是某一国有钢铁制造厂的一部分,而且在共产主义世界的所有地方，企业所合并的生产经营活动，放在市场经济体中，即使进行合并，也是极为罕见的。苏联型社会中的企业和工厂，相比西方经济体中经历市场检验而存活下来的大部分企业，规模也普遍大得多。主要的原因是，在大量的价格、工资及对主要投入的配置均由政府决定的情况下，企业无法指望购买它们所需的东西。因此，钢铁工厂可能会建座养猪场为工人供应肉类，或设立建筑工厂为管理人员和工人建造住房。处于苏联型社会衰退期的大型国有企业通常既没有适当的产品范围又无有效的规模：对大部分企业的理解本身以及它们之间的劳动分工在根本上是错误的。

这些企业中的大部分，其投资通常反映的是过时的技术，而且这些投资通常也有方向错误。在大部分繁荣的市场经济体中，大部分机械设备五年之内即被折旧或退出使用，所以苏联型国家中大部分1989年或1991年之前做出的投资现在已经不经济了，即使当初投资的方向正确无误而且体现了最新的西方制造技术。当投资反映的是过时的技术且依照违反社会理性的机制进行配置，那么它们的价值，特别是经过了若干年以后，通常已经没有多大的意义。所以苏联型经济中的大部分投资现在已一文不值。

后期资源配置中的非理性程度之深和范围之广达到了令人吃惊的地步，这在乔治·阿克洛夫(George Akerlof)和其他人对民主德国所作的一项著名研究中充分表现出来。他们使用的数据来源独特，这使得他们不仅可以确定民主德国大型联合企业出口的各种产品的价值，而且可以用西方货币来计算制造这些出口产品的投入的价值。他们发现，仅有8%的民主德国工人生产的产品其价值在国际市场上可以弥补仅仅是制造这些产品的可变成本。[①] 如果在共产主义国家中最为繁荣的经济体之一的民主德国，12个工人中仅有一个从事可以持续的且具有社会效率的生产，那么在其他苏联型经济体中情况不可能会好到哪里去。

因而，对现有资源的理性配置，和在苏联型经济崩溃前夕的资源配置相比，几乎没有任何共同之处。发展经济学家安妮·克鲁格(Anne

Krueger)曾做过估算,20 世纪 70 年代的韩国同 60 年代相比,80%到 90%的生产性要素的使用方向发生了变化。[2] 市场经济取代苏联型经济可类比于韩国所经历的从次发达国家向新兴工业化国家的转变。

在典型而成熟的苏联型企业中,甚至对劳动力的组织和工作习惯都是不经济的。许多运作于转型社会中的跨国企业和新成立的厂商拒绝雇用有本行业工作经验的本地人!我曾在《华盛顿邮报》上读到过一篇报道,一家在前苏联从事经营的奥地利连锁旅店拒绝雇用有苏联旅馆业从业经验的当地工人。我认为这则报道尽管可能有其独特性,但仍然非常有启发意义,所以我将它交于他人传阅,没想到却从他们那里听到了在前苏联执业的其他西方连锁旅店的类似政策。后来我很快见到了这些报道:一位拥有若干成功经营的妇女服装商店的波兰女商人拒绝雇用任何曾在波兰国有时装行业工作的人,一位企业家创建了一家成功的俄罗斯私人航空公司,并拒绝雇用任何曾在苏联民用航空总局工作的人成为其机组人员。[3]

为什么许多大型国有企业的管理人员和工人不希望实行私有化和其他形式的经济改革,这是有原因的:苏联式的僵化症已经发展到如此程度,以致企业在竞争性市场中通常不可能会生存下来,而且在理性化经济中也无法维持。

私有化争论中的误区

正如斯大林主义在很大程度上不是一种关于什么样的经济组织对社会最有利的意识形态而是一种隐性税收体制一样,就私有化的速度进行的争论更多地考虑了表面现象,而忽视了深层次的现实。更为本质的问题不是某些资产应该实行公共管理还是私人管理——国有企业中大部分改革的反对者很可能会非常乐意在盈利的私人企业中工作,而且他们中的一部分已经做出了恰好是那样的转变。

更深层次的问题产生于两种人之间的利益冲突,一种人工作于具有社会生产效率的新型企业中,而另一种人由于历史的意外而被留在了许多国有企业之中，仅能依赖从社会其余部分获得的补贴而生活。对经济效率和接受补贴者的利益两方面而言，影响最大的问题是补贴，而不是私有或公共所有的身份。在许多(如果不是大部分)情况下，起作用的不是私有化的速度问题，而是资产清算的速度问题。

私有化和资产清算之间很可能存在着间接的联系：补贴在计划经济中比在市场经济中很可能来得不那么显眼，而且私营业主除非得到补贴，否则不会继续从事仅能招致损失的经营活动。然而理性的计划经济和公开竞争的市场一样，不会让许多国有企业继续处于那种僵化状态中，所以私人或公共管理问题不是事情的本质。最为核心的是寄生性部门和生产性部门之间的冲突。

内在矛盾

对转型社会而言不幸的是，主要是许多大型国有(或后来实施了私有化的)企业是非经济的，它们组织起来进行集体行动。尽管在第二次世界大战中战败的集权主义国家后来在很大程度上不存在集体行动的组织，但是在共产主义控制之下的国家却留下了形式上严重得多得多的英国病。遗留给它们的是数量庞大的由政府建立并仍旧依靠公众资助的内部人游说组织。这些组织就是大型国有企业(小型企业通常不具有游说或形成企业联盟的力量)。

这些在任何形式的管理方式下——不管是私有抑或是公有——均不经济的大型国有企业所占比重过高，就会产生严重的问题。这些大型国有企业内的在公开市场经济中具备竞争能力的管理人员和工人没有理由反对私有化；尽管他们也会为了自身的利益而运用其集体行动的力量，但这一力量并不会造成很大危害。问题在于，与经济效率存在内在利益冲突并且实施集体行动的组织所占比重高得令人沮丧。具有讽刺意味的是，正是卡尔·马克思首创了正确形容这一状况的术语：因为不经济的企业具备集体行动的异常强大的力量，向民主制度转型的社会中存在着“内在矛盾”（internal contradiction）。

证明普遍规则的特例

尽管有大量不同种类的证据支持上述观点，但由于表面上看来缺乏对这个观点跨越不同共产主义国家进行的检验，所以可能仍会有一些怀疑。在《国家的兴衰》一书中，我们得以比较很多不同国家（甚至是美国不同的州）的经验，它们均实行市场经济。英国和美国较为古老的东北部地区拥有与联邦德国、日本和美国相对较新的西部及南部各州大致相同的制度，所以拥有狭隘利益的集体行动组织的程度差别与经济结果之间的关系更易于理解。那么，在共产主义国家之间是否也存在着类似的经历上的差别呢？

事实上确实存在着这样的差别。我们回忆起小型团体，特别是在统治者任命的特权阶层这一层次上，甚至在共产主义体制内，随着时间的充分发展，会存在隐蔽的集体行动。每一个这样的小型团体均有其狭隘的利益，这些利益和专制者的共容利益形成了对照。因而，这些小型团体具备损害经济效率、抗拒增强竞争的市场导向的改革的动机。正如简·温列克（Jan Winniecki）所指出的那样，[4]这样的抗拒行为导致了有效的市场导向的改革无法在欧洲的所有苏联型经济体中推行。统治者任命的特权阶层随着时间的推移地位更为巩固，他们可以阻挠将他们的共谋收益暴露于公开竞争的改革中。

有一个共产主义国家经历了对集体行动的共谋的打击，这个国家就是“文革”期间的中国。不管出于何种原因，毛泽东发动了一场针对他自己的高层和中层下属——那些红色官员——的革命。他彻底击垮了他的经济所依赖的那些行政人员和企业管理人员，仅有军队得以豁免。直接的结果是极度的不稳定和管理混乱：“文革”期间中国经济的表现要比其他共产主义国家差得多。一个较为长期的结果是，在毛泽东去世之时，中国没有接近于像苏联和欧洲共产主义国家那样多的地位稳固的行政管理人员小团体。

所以当邓小平及其他实用主义者们在毛泽东死后的短时间内挫败了毛的遗孀和“四人帮”的其他成员后，几乎已不存在行业、企业或行政管理人员团体，其内部人游说活动能够破坏邓小平的市场导向的改革。邓小平同时被认为得益于几乎每个人都乐于见到“文革”所带来的混乱的结束。邓小平作为新一代实用主义者，其广泛的利益占据了主导地位，这很大程度上是因为“文化大革命”摧毁了狭隘的既得利益。

邓小平做到了戈尔巴乔夫和其他欧洲共产主义改革者们所无法做到的：在和无数从事隐蔽的集体行动及其他内部人游说活动的派系的战斗中胜出。当时颇为可怜的中国经济中的绝大部分——农业——很快实行了个人责任的市场制度。其他市场导向的改革接踵而来。其结果是我们所见到的快速经济增长：产出经常以每年10%或更高的比例增长。中国和欧洲那些曾经实行共产主义制度但没有经历“文革”的国家的差别，与此处提出的观点完全吻合。

后法西斯主义国家与后共产主义国家间的反差

现在比较一下二战后德国和日本建立独立民主政府后的开头几年和民主政府或新式政府取代共产主义政权后的日子。尽管我对某些前共产主义国家将来会出现令人印象深刻的经济表现将不会感到吃惊，但现在已经很清楚，这些经济奇迹迟迟没有出现。在联邦德国和日本为它们的经济成功惊喜之时，大部分后共产主义国家里的民众不得不在很大程度上对自由的果实觉得失望。苏联型经济是如此低效，超过它们应该是轻而易举的，但有些国家发现甚至维持同苏联型经济下同样水平的产出都是一件困难的事情。尽管毫无疑问这是转轨中的问题，但前共产主义国家中的人民当然有权对为什么转型如此痛苦及转型时间如此之久提出疑问。

对后法西斯主义和后共产主义所经历的反差，最好的理解可能产生于对各自不同的政治经历的考察。在联邦德国和日本存在着规模很小的少数人团体，它们绝大部分由脾气怪异的人和光头党人所组成，他们鼓吹回归到这些国家在二战中实行的那些专制统治中去，而且它们吸引了大量的公众注意力。但他们完全是边缘化的，缺乏其国内绝大部分民众的尊重，这可在选举过程中得到戏剧化的解释，当这些团体即使得以进入被选举人名单，它们也几乎得不到任何选民的支持。

形成对照的是，在若干个曾经受共产主义控制的国家，前共产主义政党在一些选举中获得了比其他任何一个政党都要多的选票，而且在一些国家中，使用这个或那个名称的共产主义政党通过自由选举重新掌握了政权。尽管这些共产主义政党的思想与共产主义全盛时期相比已经发生了相当大的变化，但这仍然是一个令人瞩目的发展态势。至少是在俄罗斯，选民们的不满情绪也在对本质上是法西斯主义政治领导人的相当程度上的支持中体现出来。为什么会出现这种情况，而在联邦德国或日本，纳粹式或东条英机式的政党却无法赢得广泛的支持？

我的观点是，最为重要的单一因素是，联邦德国和日本社会的民主政治在战后早期要比大部分前共产主义社会在苏联型体制崩溃之后的最初岁月里运作得更好。这样，联邦德国人和日本人就十分自然地不急于重新回到他们在二战中及战前的最后若干年所忍受的那种统治中去了。对我们中的大部分人来说，前共产主义国家中的大量民众发现新的状况即使用共产主义时期的标准来衡量也不如人意，这是一件令人悲哀的事情，但应该不会觉得非常奇怪。

尽管前轴心国家表现较好的部分原因要到我们完成下一章的论述之后才会清楚，不过另一部分的原因现在就很明显。考虑到二战期间统治德国和日本的专制统治的性质、战败经历及战后盟国对这些国家的占领，这些国家在战后民主体制的早期极少存在狭隘的特殊利益集团进行游说活动或组织企业联盟之类的事情。这些国家主要实行大多数人统治，因而相对而言由广泛的利益进行着统治。尽管这些进行统治的大多数人也曾犯过错误，但他们的广泛包容性赋予他们促成社会有效运作的动机，而且在相当程度上他们成功了。

与此相反，斯大林所建立的攫取体制的僵硬退化使得前共产主义国家内的大型企业更擅长于内部人游说而不是从事生产。每一个这样的组织从整个社会的繁荣中仅可获得有限的利益，因而为满足其自身的利益，它很少或根本不考虑社会的需要。这些组织不仅是保守主义观念和某些时候是倾向于共产主义观点的直接源泉，而且它们也——通过其游说活动和向中央银行要求信贷，以及他们不能有效地进行生产和贸易——阻碍了前共产主义国家达到其可能实现的生产效率。这样的情形反过来又培育了不满和怀旧情绪，而这导致了对保守主义——有时甚至是鲜明的共产主义——政党的支持。

尚未完成的工作

在本书的前些部分我对专制、民主体制、科斯式交易、集体行动、执法与腐败的根源及战后西方的经济表现作了仔细考察。在本章和第七章、第八章中，我专注于分析斯大林创建的体制的真正面目，为什么经过一定时间这一体制会失效，以及从共产主义出发的转型问题如何常常被错误地理解。但是我尚未着手分析如何才能使得市场经济兴旺发达。

标准的市场理论缺失了一个不可或缺的部分，宛如是一只完美的凳子只有两条腿一样。我认为，这只理论之凳的第三条腿之所以缺失，原因在于，经济学说大部分是在相对较为成功的经济环境中出现和发展起来的。它同工业革命起步于同一时间和地点——亚当·斯密的《国富论》发表于1776年的英国，这一领域的几乎所有的进步均发生于西欧和北美这些高度发达的经济体中。经济理论得以发展的所有社会均有一个共同的特征，而这个特征通常被当作理所当然的事情（而且人们即使想到了这一特征，它也被视为其他学科研究的范畴）。供给和需求这两条腿之所以像以前那样从表面上看以它们自身之力就可以使得凳子站立起来，这是因为理论的第三个不可或缺的支撑物是如此普通常见，以致人们根本就不曾注意到它。这一支撑物就存在于经济学家们所研究分析的社会之中，但在理论和教科书中却找不见它。

只要经济学家们仅仅试图解释产生研究对象的那些类型的社会，上述的情形就不是问题。但当经济学将其注意力转向第三世界的社会或那些从共产主义出发实施转型的第二世界的社会时，缺失的理论之腿就导致分析失去了平衡。当一个第二世界或第三世界的学生阅读甚至是最好的经济学理论的简介性著作时，他或她得出的印象是这一著作是如此普遍适用，甚至在其他星球上它也应该是正确的。然而，这些著作没有告诉那些处在第二世界或第三世界里的学生，为什么他们在阅读该书时被贫困所包围，也没有告诉他们为什么该书在富裕的环境中写成。我们现在转向的正是这一问题。

注　释

① George Akerlof, Andrew Rose, Janet Yellin, and Helga Hessenius, "East Germany in from the Cold: The Economic of Aftermath of Currency Union." *Brookings Paper on Economic Activity* 1:1—87(1991). 应该强调的是，这些作者从他们的研究结果中得出的政策结论，非常不同于如果本书中的论点正确所理应得出的结论。

② Anne O. Krueger, " Institutions for the New Private Sector." In Christopher Clague and Gordon Rausser(eds.), *The Emergency of Market Economies in Eastern Europe*. Cambridge: Blackwell, 1992, pp.219—223.

③ *New York Times*, June 20, 1993; *The Economist*, August 14, 1993.

④ Jan Winniecki "Why Economic Reforms Fail in the Soviet System." *Economic Inquiry* 28: 195—221(1990).

10 达致繁荣所需要的市场类型

尽管许多人强调所有成功的市场经济体均广泛地使用市场，但我极少听到有人指出在贫穷的经济体中市场也是普遍存在的。甚至最为随意的观察也可以说明这一点。生活在低收入经济体中的人们知道在村庄中有商店和赶集的日子，在城镇中有集贸市场，街上有叫卖商品的小贩。在像加尔各答这样贫困的大城市里，商店和小贩的数量几乎是不可计数的。我曾见到的市场数量最多的一个地方，是1992年年初的远远谈不上繁华的莫斯科：在那里几乎在每一个地铁站和街角都可以看到人们在进行买卖。

毫无疑问，所有繁荣的经济体都是市场经济体，而且那些理解这些经济体的人们都知道，市场至少是其繁荣的一个主要源泉。本书的前言部分曾经问道：如果市场孕育了经济繁荣，为什么那些在低收入经济体[①]中无所不在的市场没有导致这些经济体出现同样的繁荣？为什么尽管市场几乎无处不在但财富却如此罕见？如何才能使得社会不仅拥有市场，而且拥有为其国民带来大量财富的那种类型的市场？

对生活在长期以来市场广泛存在的第三世界、占世界人口大多数的人们而言，这些问题至关重要。对从共产主义出发实施转型的社会来说这些问题也很重要：大部分民众不满足于放弃共产主义，他们还希望实现某种形式的市场经济，以产生像西方那样多的财富。事实上，对全世界的人来说，这些问题都很关键，因为没有一个国家，不管它是共产主义国家还是资本主义国家，是发展中国家还是发达国家，达到了它所能实现的繁荣程度。

种类不同的市场

有些人认为，市场所要求的个人行为仅在拥有适当的共同文化的社会中才会出现。例如，一支源于塔尔科特·帕森斯(Talcott Parsons)的颇有影响的社会学派就坚持，市场以有关基本价值观念的共识为前提条件，共识通常又源于某一共同的宗教信仰。

我在此处提出的观点是，某些类型的市场一般情形下都会形成，而不管其参与者是否有任何共性，而且有时甚至是在参与者相互反感的情况下。这些市场是自发产生的，而且它们中的某些事实上是无法抑制的。我将这些市场称之为*自我实施型市场*(self-enforcing market)。相反，其他一些我称之为*社会规划型市场*(socially contrived market)，仅当社会中某些制度性安排得以稳固之时才会形成。在世界上最为富裕的国家中，我们可以发现持续性地存在着这些特殊的制度性安排，但甚至在这些国家中，它们的深刻作用也不为人们所理解。

自发型市场

甚至在古代世界里，很多市场是自发形成的这一点就很明显了。请看希罗多德的《历史》中的一段话：

> 伽太基人还说了另外一个故事。他们说，利比亚有这样一个地

方，那里的人是住在赫拉克利斯之柱的外面的，他们到达了这个地方并卸下了他们的货物；而在他们沿着海岸把货物陈列停妥之后，便登上了船，点起了烟火。当地的人民看到了烟便到海边来，他们放下了换取货物的黄金，然后从停货的地方退开。于是伽太基人便下船，检查黄金；如果他们觉得黄金的数量对他们的货物来说价格公平的话，他们便收下黄金，走他们的路；如果觉得不公平的话，他们便再到船上去等着，而那里的人们便回来把更多的黄金加上去直到船上的人满意时为止。*

在伽太基人和他们的贸易伙伴之间，当然没有共同的文化、法律体系或政府以便利彼此间的贸易，但尽管如此贸易仍然发生了。事实上，从希罗多德的叙述中似乎可以看出，这一特定的贸易甚至已经存在了相当长的时间了，因为交易的信号可为双方所辨认，而且某些交易程序已成为惯例。交易双方很可能期望从将来的类似交易中获利，因而他们发现，避免任何可能会妨碍未来交易的举动是符合他们的利益的。

从许多种不同的文化中，都可以找到这种“沉默的”贸易的大量的其他例子，这种贸易是没有共同的政府或机构、而且可能是没有共同的宗教或语言的个人之间的交易。例如，甚至有记载说交战的部族之间通过它们的妇女来安排相互间的交易。② 在同车臣叛乱分子作战的俄罗斯军队中，也有一些士兵将军事装备卖给这些叛乱分子。在战犯集中营里也曾存在着大量的交易行为，它们使用如香烟之类的物品作为交换中介。

在沉默的贸易中，或在如希罗多德所描述的情形下，某些源自贸易的利益仍然无法实现。伽太基人和当地土著人之间不可能形成长期的信贷关系，而不管其中一方甚至在高利率水平上借款的获利大小，也不管另一方如何希望其资本得到高额回报。如果其中一方希望针对不利的突发事件购买保险，或希望从另一方那里以下订单的方式购货，他也

* 本译文参照希罗多德著：《历史》（上册），王以铸译，北京：商务印书馆 1997 年版，第 341 页。——译者注

很可能无法就此和对方达成协议。上述类型的交易之所以被认为是无法实现的，其原因是没有法律体系来执行必要的合同。这一问题最好置之一旁，直到我们考察了那些不仅是自发的、而且是不可抑制的市场之后。

不可抑制型市场

某些市场的不可抑制性，最好借助下面的小故事来加以阐明，这是一个有关两位完全计划经济下的国有企业经理人员的故事。假设计划人员在不知情的情况下给予第一家企业超过其所需的投入 A。与此同时，这些计划人员同样不知情地没能分配足够的投入 B，以满足该企业完成生产指标的需要。计划人员凑巧给予第二家企业超过后者应得数量的投入 B，但投入 A 则供应不足。当然，两家企业的经理人员都有动机向上级权力机构申诉，他的企业最为需要的那种特定的投入供应不足，但他们也有动机如此申诉，即他的企业需要几乎所有的投入来增加供应（也就是说，企业所需要的，就是在市场经济条件下的更大的预算）。考虑到每位企业经理都具备声称其企业需要更多投入的动机，这两位经理人员均不能指望计划人员会接受他们的申诉，或者不能指望计划人员会及时供应所需的投入。同时，这两位经理人员都没有动机向其上级反映，他们分配到的某种投入超过了需要。

在此情形下，每位经理人员可以把他剩余的投入卖给对方，这样就解决了双方生产投入不足的问题，前提是他们这样做时不会被上级权力机构发觉。如果他们谨慎小心，这一交易通常会使他们企业的经营状况得以改善，因为当他们用多余的投入换回了急需的另一种投入时，每位经理人员可以控制的投入组合的价值提高了。这种类型的交易一般也会提高计划经济的效率，这是因为这种贸易通过修正计划制定和实施中的缺陷而增加了生产。

这一类型的交易在前苏联曾变得非常普遍，以致俄语单词 *tolkach*（其原意是推动者或加速工作尽快完成的人）曾被普遍用于指称那些被派遣出去以易货贸易的方式换取稀缺投入和媒介物品交换的人。尽管非法交易会削弱计划经济的意识形态、基本理论和法律法规，但这些交易变得如此之常见且不可或缺，以致大量这样的交易在不同程度上得到了许多高层官员的不事声张的支持。在共产主义国家中，非法和半合法的市场变得数量如此之多，彼此间差异如此之大，以致将这些市场统称为“黑色的”市场已经不是一个办法了；一位流亡海外的苏联经济专家[③]从其经验和研究中发现，至少需要七种名称，或七种程度的灰色，以区分官方对不同市场的不同程度的反对。依照我的分类，所有这些黑色的、灰色的和偏离白色的市场都是不可抑制的。正是因为如此之多的市场是不可抑制的，所以我们在第六章中认为，违反市场规律的政策永远会产生大量的影子经济和政府部门的腐败行为。

我们知道，这些无法压制下去的市场，和某些规模相对较小的自发产生的、但并非一定是非法的市场一起，构成了非正规部门。这一术语最常用于对第三世界的讨论之中。虽然很重要的一点是，许多市场是无法压制下去的，甚至在对市场限制最为厉害的共产主义社会中，这样的市场也会以大量的形式出现，但是数量更多的不可抑制型市场在第三世界是更普遍的（而且在西方发达国家内也为数不少）。

非正规部门

非正规部门由凯斯·哈特（Keith Hart）首先指出并进行解释，[④]他是一位效力于国际劳工组织的经济学家。第三世界国家中许多低收入民众谋生的手段是沿街叫卖商品；是在经注册的车库之外修理汽车或设备；是向其邻居和朋友提供各类劳务；是用旧轿车、有篷货车、中型货车或公交车提供城市交通运输，在此情况下要同法定垄断该类服务的国有或公共市政交通设施相竞争；或是从事其他各类活动。在大部分情况下，这些普通而常见的活动都不是完全合法的。非正规经济领域的人们通常缺乏文化，无法填写获取合法经营许可所必需的各类表格，或者他们没钱（或不情愿）进行贿赂以得到所有必需的许可。因为大量这样的经营活动规模很小，而且每个这样的微型经营者一般并不引人注目，所以经营者们经常可以避免支付大部分的税收，而在第三世界的国家中这些税收通常会相当高，如果足额征税的话足以使得经营活动无利可图。

在许多第三世界国家的城市中，大部分的城市住房也是不正规的。正如秘鲁作家赫尔南多·德索托（Hernando DeSoto）非常生动地说明的那样，[5]成群的低收入秘鲁人（一般是新近从划定的传统农村社区迁移而来的印第安人）通常会在夜深人静的时候组织一场大规模的侵入行动，进驻利马城郊无人看管或弃置不用的地块，并立即竖起简陋的棚屋住在其中，而且建立警戒线以减少警察将他们驱逐出去的可能性。拉丁美洲和其他第三世界国家的许多城市里的大量人口都居住在这类非法或尚未合法化的、擅自建立的居住区内。

非正规和非法行为，正是由于它们自身的性质而很难加以测量。赫尔南多·德索托及其同事估计，利马经济活动中极高的比重是不正规的。不论他们的估算正确与否，毋庸置疑的是，大部分第三世界国家中非正规行为为数可观，并且在共产主义国家中也是相当可观的（且在转型期间依然如此）。在发达民主社会中，非正规行为相对较少，但有几项研究显示其并非微不足道，而且可能正在增加之中。

为什么市场无处不在？

原始人之间交易的记载，审慎的经理人员之间交易的故事，以及第二世界和第三世界中大规模的非正规部门，均无可辩驳地显示了大量的市场是自发形成的，而且一般是不可遏制的。贸易经常会发生在缺乏共同的文化或机构设置以便利交易的情形之下，而且经常会发生在敌视市场的环境之中。如果贸易是非法的，参与者们则必须在交易的其他成本之外，为他们可能被抓住和遭受惩罚而准备一笔额外的费用，而且他们也知道，他们无法使用法律体系的资源，以防止其他交易方的违规行为，或运用这些资源保证合同条款的执行。

对于大量甚至发生在非常不利条件下的交易活动，我们不应感到惊讶。总体而言，劳动分工和贸易的收益是如此巨大，以致对世界上的大部分人来说，没有了它们将无法生存。而这些收益中的一部分会在现场交易中立即实现。无处不在的市场同时满足下面两个条件：(1)从事交易的收益是相当显著的；(2)交易活动是自我实施的：交易中的每一方能够在很大程度上消除交易另一方不愿意从事互惠行为的危险。危险的消除通过以下方式实现：促成交易中的买卖两个部分同时进行；只在家庭成员之间或其他关系密切的社会团体内部进行交易，这样受到损害的个人可以借助于社会制裁；交易仅限于在某些人之间展开，这些人有着大量的投资，以至于获得了这样的名声，即他们宁可遵循合同的规定，而不愿违反合同以谋取利润；当然还有其他一些方法。因而，即使不存在执行合同的法律体制，即使有时交易本身也是非法的，某些市场几乎仍是无处不在。

错误导向的干预主义是否导致市场几无用处？

在这一点上，有些人可能会在承认市场在世界范围内无处不在的同时，反对市场带来的收益很大程度上被政府干预所抵消的观点；第三世界市场中大量的而且通常是方向错误的政府干预，可能导致这些市场几乎毫无用处，因而也就解释了为什么大部分拥有存在广泛市场的经济体依然贫穷。尽管这些人的反对意见明显地有其可取之处，但是出于某种通常不为人所注意的原因，这样的反对很大程度上是错误的。

大部分的市场所带来的收益，甚至在价格或数量在相当程度上偏离有效水平的情况下，一般也都能够实现。假设在一个典型的美国小镇上，水的价格被随意地设定为每公升 10 美元，显然这一价格是水的通常价格的好多倍。虽然这样的价格很离谱，从水的消费中得到的大部分收益依然可以实现。大多数人将不再灌溉草坪或用水洗车,但几乎所有的人仍将购买足够的水以维持他们的健康,或用于解渴:他们将购买的水依然可以产生大部分源于水的交易的收益。

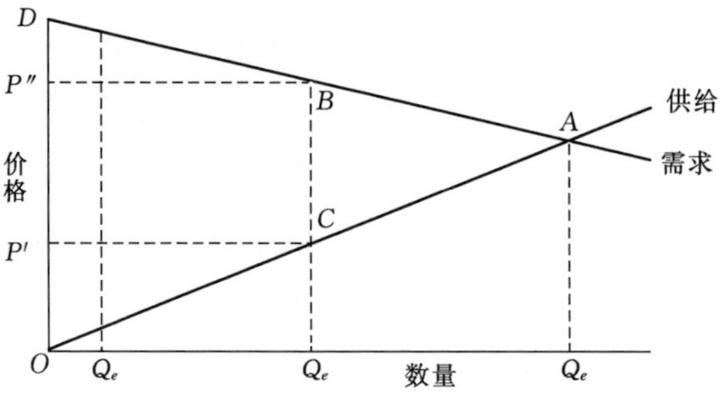

图 10.1　小于比例的社会损失

更为一般地,假设政府任意地将某一价格设定在很不合理的水平上,导致交易数量只有理想的竞争市场上交易量的一半。即使在这样的情况下,源自贸易的全部收益中的大部分一般仍会得以实现,这是因为大部分有价值的交易——那些会产生最多的社会剩余的交易——仍会趋向于发生。由于供给曲线一般向上倾斜而需求曲线永远向下倾斜,某个任意设定的价格,尽管会阻止互利性贸易中的半数发生,通常却根本不会将源自贸易的收益削减到原来的一半!这一极为简单的观点在注释中做出了说明,该注释同时也显示,当然存在可能将价格设定得远远偏离均衡水平,以致消除大部分(甚或所有的)贸易和超过半数(或所有的)源自贸易的利益;但除非定价人异乎寻常地荒谬,否则上述情形通常不会经常性地发生。⑥

任意定价的行为会因为出现排队购物、再交易及其他类似的情形而产生额外的成本,而这些成本构成了任意定价行为不受欢迎的另一层原因。如果官方设定的价格过低,排队购物将导致时间的浪费,但需要最为迫切的购买者经常会排在队伍的最前面,或者他们会从排在队伍里的人那里非正式地再购买该种商品。能以最为低廉的成本生产该种商品的供应者，成为具备动机生产和销售这种价格被低估的商品的人。而如果某种商品价格被高估，最为看好该商品的人依然会设法得到它，生产成本最低的制造商拥有最大的动机，去生产在高估的价格下可售出数量的该种商品。[7]（类似的分析对由政府规定产量的情形也适用。）结论是，尽管任意设定的价格十分不合理，但存在这些价格的市场所导致的源自交易的收益的减少，不会像交易量的萎缩那样大。[8]

社会规划型市场和权利密集型生产

虽然这些导致价格扭曲的政府干预对社会效率的损害非常之大，但是政府对市场的导向错误的干预，绝不足以解释大量的拥有无所不在的市场的国家为什么贫穷的原因。为了理解这一点，我们必须超越本章中目前为止已经考察的那些类型的贸易和生产：我们必须超越自我实施型的或在现场进行交易的贸易类型，并且超越自我保护的和仅使用劳动力的（或劳动密集程度很高的）生产类型。我们也必须了解这样一些源于贸易的收益，它们仅在政府规划的或（更为一般的）社会规划的市场中才能实现，而且我们也必须了解源自单个的权利密集型生产的收益。

自我成才的企业家的故事

对非自我实施型贸易以及制度的社会重要性——它们是获得源自某些特定种类的贸易和生产的收益所需要的，一个便捷的理解方法可以通过讲述另一个小故事获得，即一个自我成才的企业家的故事。假设某个出生于低收入家庭的年轻人，没有资本但志向远大，精力充沛而且具备企业家能力。在同一社会中存在着拥有财富的个人，他们中的一部分恰巧不具备像自我成才的企业家那样强的生产能力。同时社会中的一些老年人积累了储蓄，但精力已不如这位企业家那样充沛了。因为这位贫穷的年轻人可以利用资本，实现比那些富裕的人和年老的人更高的生产效率，所以他就可以从使用他们的资产所产生的收入中，向他们支付比他们自己使用这些资产所能产生的收入更高的报酬。因而，这里存在着互利性交易的潜在可能，在此交易中，富裕的人和年老的人所积累的资源借给这位自我成才的商人，或者以证券方式投资于他所建立的企业之中。

假设资本的最佳用途是让这位能人建造一座能使用30年的工厂。除非这些富人和老年人确信该年轻人不会将钱仅仅用于自己身上，否则这样的交易对他们没有任何意义。投资的收益在30年中得到，没有人知道这个年轻人会不会在这么长的时间里信守诺言。考虑到拟议中的交易根本就不是自我实施的，这个年轻人得到资本建立其生产性企业的可能性非常小，除非他能保证，他将被要求在30年里信守他的承诺，而如果做不到的话，他的资产就会被剥夺。如果拟议中的资本要置于这个年轻人的控制之下，他和资本的拥有者们必须达成一项每一方都认为符合自身利益的合同，以期望该合同将会得到公平的执行。资本拥有者很可能会坚持要求以工厂作为其投资的抵押物，或者要求建立起一家合作制股份公司，且他们拥有这家公司的大部分股票。

除非潜在的借贷者们拥有确定的权利，能够在二级市场卖出他们在交易中得到的资产，不管该资产是这个年轻人返还投资并支付回报的承诺，还是这个年轻人所经营的公司的企业股票，否则他们也可能不会参加到交易中来。举例来说，许多没有后代的老年人，从理性的角度不会借款给这样一个项目(或购买其股票)，该项目仅在他们死后才开始支付回报，除非他们可以预期在一个较早的时间就可以售出其贷款或股票以获利。因此，为使某些生产性项目获得融资，一个持续运转、应用广泛的资本市场所要求的所有的制度都需要建立起来。

需要建立的制度

因而，为实现所有来自贸易的收益，就必须要有法律体系和政治秩序来强制执行合同、保护产权、执行抵押协议、提供有限责任的公司安排，并为长久运转且广泛应用的资本市场提供便利，以提高投资和借贷的流动性。而且这些安排在人们的预期中必须在一段时期内保持稳定。

没有了这些制度安排，社会将无法有保障地获得市场的全部好处，无法有效地制造复杂的商品（因为这需要许多人在相当长的时期里的合作），也无法实现其他需要多方合作或长期安排才能得到的利益。没有了适当的制度环境，一国将被迫局限于从事自我实施型交易。

为了得到复杂交易和那些持续时间很长的交易的好处，社会中的个人不仅需要有从事贸易的自由，而且还需要拥有权利，对财产和抵押财产确立牢靠的所有权。他们必须确保得到公正的法庭的服务，这些法庭将会执行他们签订的合同，而且他们有权创立新形式的、得以进一步深化的合作组织和机构，如合作制股份公司。

类似的观点不仅适用于贸易，对于生产也同样适用。某些类型的生产或多或少地具有自我保护的性质，如粮食采集、手工艺品制造、个人服务和其他主要是仅仅使用劳动力的或劳动密集型的生产活动；这些类型的生产活动，甚至在不存在个人产权或合同执行的环境中，也可能会是有利可图的。但是许多其他类型的生产要求有价值昂贵的资产，如机器和工厂或者是办公室，它们无法被藏匿起来，因此就有被攫取或充公的可能。这些类型的生产是产权密集型的——资本密集这一熟知的表达方法模糊了可以执行的权利所起到的关键性作用。通常情况下，没有人会愿意从事资本密集型生产，如果他或她没有财产权以防止价值昂贵的资本物品被盗贼——不论是流窜性的还是固定性的盗贼——掠走的话。

许多其他重要类型的生产活动几乎是完全建立在非自我实施的契约之上的。银行和相关机构提供的服务的生产，只有在对合同的遵守十分可靠时才会进行：如果我们无法信赖银行将遵守它与我们之间的合同，我们就不会将钱存入银行（即对银行进行贷款，而只要我们开出支票或填写取款单，就能够取回该款项），而如果银行不能执行它与借款人之间的贷款合同，银行就无法获得所需的利润以继续营业。类似地，如果合同无法执行，保险服务的生产或期货市场套期保值的生产也是不经济的。

作为繁荣动因的个人权利

简而言之，在市场经济中，只有当个人和厂商拥有一套广泛而牢固的个人权利之时，源于贸易的大量重要的收益才会形成，许多重要类型的生产活动才会发生。事实上，超过原始社会所能得到的贸易收益，只能在个人权利既广泛又牢固的环境中才会产生。类似地，至少是在市场经济中，那些不是如此基本以致可以自我保护的生产类型，只能在财产所有权和合同执行十分可靠的条件下才会出现。

然而，个人权利常常被视为在道德上是可取的，但对经济活动却成本高昂——被视为一种奢侈品，欠发达国家或处于特别困难境地的国家可以不需要。我们现在可以看到，至少对市场经济体而言，这一观点是完全错误的，通过第一章和第二章中的专制和民主理论也可以说明这一点。例如，我们现在可以发现，对专制者来说迟早必然会出现的短期时间效应的极端重要性。

我们也可以发现，为什么这不是偶然的：拥有确立得最好的个人权利的发达民主社会，同时也是拥有最为复杂、最为广泛的交易（如期货市场、保险市场和资本市场上的交易）以实现贸易收益的社会。它们一般也是拥有最高水平的人均收入的社会。

个人权利和高强度的激励

个人权利对经济绩效的重要性也体现在其他方面。当我们思考经济生活中所固有的不确定性时，我们可以看到这些其他方面中的一个方面。没有人有先见之明，对资源应投资于何处做出正确的决策。正如一则古老的谚语所说的，预言是困难的，特别是对未来做出预言时。事实是预言远不止于困难这么简单:约翰·梅纳德·凯恩斯曾说过,“必然发生的从未发生过,没有预料到的却总是出现了”,他仅仅是稍有夸张而已。正如卢梭所指出的,拥有“预见某些事情是无法预见的能力”是必要的。

尽管某些人比其他人更不善于做出预言,但没有人能够经常性地做出一般性的而且可靠的预测。然而每一项投资活动都要求进行某些明确的或暗含的预测。现代经济是一个极为复杂的系统,持续不断地向一般均衡靠拢。但它永远不可能达到均衡状态,因为它不停地面对新的机遇和震荡。甚至没有足够的信息,来详细地或准确地计算经济体的当前状况,更不用说未来的情形了。社会作为一个整体甚至比市场经济更为复杂,而且还存在着国际关系中的不确定因素。

正是因为不确定性是如此普遍而深不可测,最有活力并且最为繁荣的社会是那些尝试许许多多不同事物的社会。这样的社会拥有不计其数的企业家,他们有相对良好的渠道获得信贷和风险资本。一个社会没有任何办法预测未来,但是如果社会中存在着足够广泛的各类企业家,他们能够从事足够广泛的各类互利性交易,包括为得到信贷和风险资本而进行的交易,这样的社会就能够覆盖大量的可供选择的机会——其数量之多超过了任何个人或单一机构可能的想象。

至少当一个社会拥有了适当的制度和政府政策时,产生巨额利润的厂商中的压倒性多数为民众提供着规模巨大的服务。在拥有正确的制度和公共政策的社会中,处于优势地位的价格水平将大致等同于商品的边际产量和生产性投入的真实价值和成本。收入超出成本的大量剩余意味着,企业注入社会的价值几乎可以肯定地超过了它从社会中取得的价值。

许多财富源于运气

因为没有人了解未来,所以现代经济中大部分的财富和损失都是由运气来解释的,正如它们也通过涉及其中的企业家的能力和失误来解释一样。有一些人正确地赞扬了企业家的社会重要性，并且强调了不可能得到所需信息为经济设计一个理性的规划，但他们没有指出，许多企业家之所以成功是因为他们的运气好。同样，许多不成功的企业家运气太差。

部分地由于运气起了很大的作用，因而在所有的地方都存在着某种趋势，将非常高的利润率视为不合理的现象，并且将异乎寻常的损失视为社会性问题，而仁慈的政府应该对其加以解决。这一思路反过来又常常导致了对亏损行业、企业和地区的财政补助。在转型经济中，这些补助是前面某一章中所分析的预算软约束的组成部分。

针对个人与针对团体的社会保障

在个人的水平上，用运气好的人的意外之财来弥补运气不好的人的部分损失，具有道德上的意义。在市场民主体制中，私人保险市场和现代福利国家的社会保障体制对坏运气的受害者进行收入的再分配。我在其他地方说明了，从收入最多的人到收入最少的人的某些消费转移，可以增加社会中的个人的福利和效用。⑨

此处的相关论点是，向亏损行业、厂商和地区提供补贴，尽管假设亏损完全是由于坏运气所致，而补贴的来源是产生利润的行业、厂商和地区，尽管假设利润纯粹源于运气，这样的做法对经济的效率和活力仍然具有典型灾难性的影响，某种意义上与不必要地向穷人转移财富是一样的。如前所述，当前处于优势地位的价格水平如果有任何意义的话，那么产生出异乎寻常高的回报的活动就可能生产出社会剩余，而那些遭受异乎寻常亏损的活动可能会造成对社会的净损失。因而，如果某些资源从遭受亏损的活动中转移到产生回报的活动中来，社会产出的价值通常就会大大提高。在拥有适当制度的市场经济体中，这一转移会因为回报上的差异而趋于自动实现。不将资源从亏损活动转移到产生社会剩余活动的社会是非理性的，因为它以损害经济活动、同时根本无法保证会对低收入个人有所帮助的方式，浪费了有用的资源。所以理性且仁慈的社会会将其分配转移限制在帮助贫穷而不幸的个人方面。

在这方面,大部分第三世界社会,大部分处于僵化阶段的苏联型社会,以及大部分从共产主义出发实施转型的社会,它们所推行的政策和应该推行的政策刚好相反。在大部分第三世界社会中,对不经济的行业和企业实施保护和提供补贴,而且以貌似合理的平等主义理由,即补贴防止了不经济行业内工人的失业,来为这些补贴提供合理性,这是很普遍的做法。甚至当由补贴所支撑的不经济活动的工资是社会平均工资的好几倍时,这一政策经常依然存在,以致补贴的净效应是大规模的社会不公以及对经济发展的阻碍。在许多从共产主义出发实施转型的社会中,对不经济行业的补贴(通常是隐性的)其数量达到了令人吃惊的程度。例如在 1992 年上半年,俄罗斯企业间信贷的增长(显然主要由新创造的货币来提供资金)达到了这个半年的国内生产总值的 17%。[10]

苏联型社会一般并不实行累进收入税制的国民体系,也没有失业保险制度,或者许多其他在西方福利国家应用的国民安全保障网项目。这些社会很大程度上依赖社会化的企业来提供福利服务。它们从盈利性活动中转移了数量庞大的资源,用于那些产出值并不足以弥补消耗资源的成本的行业、企业和地区。当然,这样的行为在西方最为繁荣的国家里也经常发生,但是规模没有这样大。用什么来解释苏联型社会和市场民主体制之间的这一显著差别?部分的解释是隐伏于苏联型社会内部的危害特别大的僵化体制,对此本书前面进行过描述。但是也还有另外一个原因。

个人权利减少对不经济行为的重新分配

拥有最高水平的人均收入的国家——发达民主国家——同时也是个人权利得到最好保护的国家。这些国家中存在着广泛的制度性机制以保护个人的权利,而个人的权利通常限制了政府自行其是地阻挠回报的变动和资源的重新配置的程度,这些都是有效率和有活力的经济所需要的。如果个人的权利足够广泛,政治和行政方面的自行其是必然受到某种程度的制约。

假设对经济学家们最为喜爱的假想制品威吉特*的需求出现了大规模的出乎意料的增长。在很久以前就确立了民主政体的市场中,大部分人都意识到,如果在对威吉特的需求猛增时,琼斯恰好正在生产威吉特,那么琼斯的运气很可能实在太好了。但是如果琼斯是通过合法途径得到他的制造威吉特的工厂的话,他仍将拥有获得该工厂的超额利润的权利。这一权利将得到法庭的承认并受到警察的保护。

只要个人的权利阻止了政府去攫取具有超常盈利能力的企业的回报,这些权利也使得政府拥有较少的资源,去接济那些损耗社会资源的企业。类似地,合同持有人获得公正的法庭保护的权利,意味着如果借款企业的成本超出了其收入且无力归还贷款时,提供了担保贷款的贷款人可以扣押违约借款人的资产。这进一步降低了向损耗社会产出价值的行为分派资源的社会倾向。

因此,长期民主政体下个人权利的力量,是这些民主体制对不同厂商、行业和地区之间短期回报率大范围的变动保持容忍态度的一个主要原因。这样的容忍态度对经济的活力和繁荣必不可少。它提供了一种激励机制,使得资源从回报率较低的活动重新配置到回报率较高的活动,因而实现更加接近于理性的资源配置。它也提供激励机制,使得厂商和个人从事固有风险很高的创业活动,而这是技术和生产力进步所需要的。

简要的复述

我们已经看到市场的普遍存在,但是,大部分社会中尽管存在着不计其数的市场,却既无法享有高收入,又无法实现快速的经济增长。市场在几乎所有的国家里弥漫渗透,这是因为源于贸易的收益通常情况下相当可观,而且有时极为巨大,同时也是因为许多类型的贸易是自我实

* 威吉特(widget),其原意即为某种假想的制品。——译者注

施的(并因而可以在几乎任何条件下发生)。

尽管任意设定价格水平和其他形式的导向错误的干预十分普遍,特别是在第二世界和第三世界中,但是因为通常只能提供最少收益的交易受到干预的遏制,而提供最多收益的交易得以发生,所以社会依然得以从市场中获得大部分的收益。因而,可以说全世界的民众都从自发形成的、甚至是不可抑制的市场中得到了利益,而大量这样的市场存在于第二世界和第三世界经济领域的规模庞大的非正规部门中。许多市场主要是自我实施型的,正如某些生产类型,例如粮食采集和手工艺品制造,主要实行自我保护一样。自我实施的市场和自我保护的生产具有极其重要的价值:我们都从中获益,而且它们养活了世界人口中的大多数。

然而,为了实现经济的快速增长或收入水平的提高,社会需要从那些非自我实施型的互利性交易——如涉及借贷和购买现货远期出货的交易——中获得利益。这些利益只有通过由政府或社会设计的市场才能获得。社会也需要从权利密集型的生产中获得利益。它需要得到产权密集型生产的收益,该类型的生产,在诸如生产要求厂房和设备的广泛应用的情况下,就是必需的。它需要得到契约权密集型生产的收益,该类型的生产由诸如保险公司、期货市场和银行来提供。简而言之,世界上大部分国家里的收入水平之所以很低,是因为这些国家内民众没有可靠的个人权利。

界定清晰的可靠的个人权利,也使得社会从浪费资源的活动向产生净财富的活动转移资源变得更为容易。如果这个社会拥有社会保障体系或社会安全网络以保护运气不佳的个人,这一点就会格外地正确。在确立了个人产权的社会中,如果某个人拥有的资产和企业产生了特别高的利润,那么他或她就有权占有这些异乎寻常的高额利润。正如彩票的赢家有权拥有其赢得的彩金一样,在基于权利的民主体制中,产生了特别高利润的资产的所有者,也有权拥有这些异乎寻常的高额利润,尽管这些利润的取得可能(在现实中情况也确实经常如此)纯粹是由于运气。

对异乎寻常的高额利润所拥有的权利,防止了大量的资源被转移到那些损耗社会净产出的行业和企业。对合同执行所拥有的权利,则增加了那些损耗社会净产出的企业被迫关门的可能性;如果某家企业拖欠抵押贷款——这是成本超出了产出的价值时企业在不得已的情况下的惯常做法——贷款人就有权扣押企业的抵押资产。

回到前言部分

我们现在已经拥有了所需要的理论或思想工具,来回答在前言部分提出的那个剩下来的问题。我们回忆到,引发其中的一个问题是世界上大部分地方的低收入水平,尽管认为可以带来经济繁荣的市场在那里是无处不在的。所以,人们很自然地会发问,社会如何才能获得那些类型的市场,它们会实现快速而持续的增长,进而会带来财富的极大丰富。如果我们将所有的理论和证据同时放在一起,我们会发现(如果我们将在这一情境中并不重要的少量特殊条件不予考虑的话),可以导致经济成功的市场经济仅仅要求两个一般性条件。

正如我们已经看到的,第一个条件是矛盾的,它要求有可靠而界定清晰的个人权利。个人权利不是只有富国才能享有的奢侈品,相反它对获得第九章中所描述的复杂交易的巨大利益、对获得产权密集和契约密集型生产所产出的丰富收益,都具有本质上的重要性。特别是,只有当所有的经济活动的参与者,不管是个人还是公司,本国的还是外国的,都有权就他(它)们选择签订的合同获得公平的执行时,市场经济才能发挥其全部的潜力。也只有当所有的参与者都拥有牢靠的定义准确的私有财产权时,市场经济才能实现其全部的潜能。这些权利从来都不是由自然所赋予的,而是社会的——而且通常是政府的——规划设计的产物。

没有政府就没有私有财产——个人可以占有物品,正如狗可以占有一块骨头,但只有在社会保卫并且防护对占有物的私人产权以防止其他私人团体以及政府的掠夺时,才会有私人财产。如果社会中有清晰而可靠的个人权利，从事生产、投资和互利性交易的强大动机才能出现，因而也才会有至少是某些经济进步。

繁荣的市场经济所要求的第二个条件仅仅是不存在任何形式的强取豪夺。如果此处强调的个人权利确实受到了保护，那么某些形式的掠夺就不需要再加以考虑了，如在霍布斯式的无政府状态下每个人反对所有人的战争中所发生的掠夺行径，又如专制者或其他政府通过充公财产或拒绝承认合同从而剥夺其国民的权利时所从事的掠夺行径。因为这些形式的掠夺已被排除在我们的考虑之外，所以我们不需要将其单独列出。

但是，即使在个人权利保护得最好的社会中，另外一种形式的掠夺可能而且确实经常性发生。这种形式的掠夺，一是通过游说活动，以赢得符合特殊利益集团利益的立法和法规，二是通过卡特尔化或共谋行为以操纵价格和工资。第四章中论述的观点说明，以游说和价格操纵为目的的集体行动，产生了某一行业、职业和集团内的每个人都可以分享的利益，而不管涉及的个人或厂商是否为游说或价格操纵做出了贡献。正是因为这种搭便车机会的存在，使得大部分行业和集团内的集体行动需要较长时间才能出现，所以只有在一段时间内保持稳定的社会里才存在大量集体行动的联盟。但是，如果仅仅构成社会中赚取收入人群的一小部分的集团可以采取集体行动，那么该集团的主要动机就是通过游说和价格操纵，实现对自己有利的收入再分配，而且甚至在对社会造成的损失比该集团从分配斗争中赢得的利益还要高时，游说和价格操纵行为依然继续进行。分配性联盟对价格的扭曲和对创新的阻碍导致了经济的僵化。[11]本书已经显示了，这一僵化过程在东方和西方都已经出现——我认为它在所有长期稳定的社会中都会发生，不管这些社会实行专制或民主政体。

刚刚讨论的这两个条件并不能(在不存在完美得无法实现的权利定义的情况下)[12]确保完美的市场、最大程度的对社会有用的创新以及资源的理想化的配置。这两个条件也不能保证会出现广为接受的收入分配模式。但是我的假设是，考虑到从采用战后世界上可以得到的先进技术所能带来的巨大利益，也考虑到同颇为成功的世界经济互动的可能性，这两个条件如果得以充分满足的话，依然足以为社会带来繁荣。这两个条件足以保证社会将不仅拥有到处都存在的市场，而且会拥有所有类别的市场——包括能够引进外国投资的资本市场——以带来甚至不是自我实施型市场的收益。

现实中的证据压倒性地符合我的假设：总体而言，快速增长的经济体看起来并没有完善的市场或者理想的安排，尽管有着种种不完善之处，它们依然实现了迅速的增长。战后世界中还没有一个社会，在完全满足了上述的两个条件之后，依然没有实现繁荣。同时满足前面两个条件的经济体，就如同一个处于青春期前期的孩童，可能会犯很多错误，但向上成长事实上是确定无疑的。因此我宣称，我已经回答了前言中提出的问题，即一个社会如何才能不仅拥有几乎所有社会中都存在的市场，而且拥有那些足以带来经济繁荣的市场：答案是仅仅需要满足上述的两个条件。

我认为，这两个条件最有可能在稳固的、尊重权利的民主体制中得到满足，在这些民主体制中，制度的设计使得权威机构的决策最大可能地服从于广泛的利益。虽然长久存在的民主体制（就像任何形式的长期稳定的社会一样）在过去最终不得不遭受狭隘的特殊利益的困扰，但它们永远如此却绝对不是不可避免的。没有一个为人所理解的历史过程是不可避免的。

狭隘的特殊利益团体永远由极少数人组成。如果某个特殊利益团体规模扩大得足以代表社会中的多数人——甚或是相当规模的少数人——的话，它将成为代表共容利益的团体，并且将具有相对建设性的动机。因此，少数人团体规模是如此之小，以致它们具有忽略对社会造成的危害的动机，问题是尽管它们的规模极小，但（部分地是由于广大民众的理性的无知）它们依然能够向有利于它们所在行业或职业的方向来影响公共政策，或者联合起来在它们所处的特定市场上抬高物价或工资。但是特定市场上的生产者们毕竟只占选民的极小部分，如果尽管只有知识精英们了解发生了什么的话，这些生产者也无法逃脱其责任。

至少是在某些民主体制里，这一较为宽泛的理解将成为精英阶层的特征，这不是不可能的。为数不算少的人具有职业上的动机去研究经济学或其他社会科学，或者对于公共事务具有某些其他职业上的兴趣，处于这些角色中的人们将不会对公众的事情理性化地加以忽略。我认为，研究和教育会发挥某些作用，这是我写作本书的目的之一。而且还存在着某些从经验中汲取的社会教训。对经济学的理解——可能还有对制度的逻辑和集体行动逻辑的理解——在过去的十年或二十年间看起来有所增长。如果我们这些从职业的角度关注社会应如何治理的人们，以及我们所有的对很大程度上决定我们的经济和社会如何运作的政策抱有强烈兴趣的人们，工作得足够努力和足够好，进一步的理解也是有可能的。

注 释

① 数量庞大的文献认为，各国的人均收入之所以处于现在这样的水平，是因为每个国家不可能在现有的资源和技术条件下产生更多的收入。每个国家在现有资源既定的条件下都处于其生产函数的边界之上，其收入也达到了最高可能的水平。我在“Big Bills Left on the Sidewalk: Why Some Countries are Rich and Others are Poor.” *Journal of Economic Perspectives* 10:3—24(Spring 1996)一文中指出：低收入和中等收入社会远未达到它们的总生产函数的边界，所以它们现有的自然和人力资源无法解释其低收入水平。因而，有关总生产函数(或有关经济增长的源泉)方面的文献，虽然在某些方面十分有价值，但并没有解决这一矛盾。

② P. J. H. Grierson, *The Silent Trade*. Edinburgh: William Greene and Sons, 1903.

③ 宾夕法尼亚大学的西蒙·凯岑伦伯根(Simon Katzenellenbogen)。

④ 他在下文中阐述了他的发现：Keith Hart,“Informal Income Opportunities and Urban Employments in Ghana.” *Journal of Modern African Studies*

(March 1973)。

⑤ Hernando DeSoto, *The Other Path: The Invisible Revolution in the Third World*. New York: Harper & Row, 1989.

⑥ 图 10.1 中,Q_e 数量将以市场出清价格进行交易。价格 P^l 和 P^h 均导致刚好一半数量的交易,交易量为 $Q_e/2$。源自贸易的收益其减少量是三角形区域 *ABC*,而且马上就可以看清楚的是,如果需求曲线必须向下倾斜而供给曲线向上倾斜,这一损失必然明显地小于均衡价格下源于贸易的总收益的一半,总收益由区域 *ADO* 表示。很显然可以选择某些价格水平,以消除大部分源自贸易的收益,例如可以选择某些价格,使得交易量减少到 $Q_e/10$,不过随机选择的价格如果确实能导致交易的出现,将不会经常性地产生这些极端的结果。

⑦ 当某种商品价格被高估,生产该商品的利润将会特别高,而且某些资源将会用于争夺生产该商品的权利的竞争中。也就是说,为获得与价格或产量的扭曲相关的超额回报,一般而言就存在着“寻租”行为。这些寻租行为导致的社会浪费,使得因价格和产量的扭曲所造成的损失比在其他情况下要更大。某些研究有时显示,用于寻租的资源等于或接近于寻租回报本身的数量。然而,实践证据说明,寻租的花费与寻租回报的规模相比一般都非常小。这应该不是一件奇怪的事:从对集体行动的分析中我们知道,在任何市场的某一给定方面,搭便车的逻辑都是和竞争性寻租相互冲突的,所以在每个市场上对寻租的垄断都是最为常见的现象。对寻租的这一垄断极大地限制了资源的消耗量。因此,此前的结论依然得以成立,即在价格和产量存在扭曲时,源于贸易的收益其损失通常要小于交易数量的减少。

⑧ 这一观点对某些类别的情况在相当长的时间内是不成立的,如(像经常发生的那样)价格的扭曲是由于卡特尔,或由于游说活动赢得了政府推行的产出配额或者是相关法规,它们的功能类似于卡特尔化。在这些情形中,对产量的限制降低了创新和劳动生产率提高的速率,而创新和劳动生产率的提高在快速增长的经济体中,是经济增长的最为重要的源泉。尽管我尚未完成充分论述这一可能性的若干篇文章,但我就其中的若干个方面在我的这本书中进行了讨论,参见 Mancur Olson, *How Bright Are the Northern Lights? Some Questions About Swenden* (Lund, Sweden: Institute of Economic Research, Lund University Press, 1990)。

⑨ 参见 Mancur Olson, “Why Some Welfare-State Redistribution to the Poor Is a Great Idea”以及该文中引用的技术性文章(Charles K.

Rowley, ed., *Public Choice and Liberty: Essays in Honor of Gordon Tullock*. Oxford: Basil Blackwell, 1986)。

⑩ David Lipton and Jeffrey Sachs, "Prospects for Russia's Economic Reforms." *Brookings Papers on Economic Activity* n2, p.213, 1992.

⑪ 当然,除了由特殊利益集团推动的经济政策外,社会也制定了大量错误的经济政策,但是社会当然会(尽管很慢)吸取教训并不断改进。因此,如果不是因为有组织的利益集团会从这些经济政策中获益颇丰的话,社会不会坚持对经济增长有致命危害的经济政策。

⑫ 通过假设上述的产权和其他个人权利消除了外部性,我绕过了环境污染和其他外部性问题,这些问题是我大量著作的中心,但在此处仅仅起到干扰作用。当然,这样的做法将许多复杂而重要的问题聚集到用少量的词汇来进行的定义上,故而在大部分情况下,这一做法不能令人满意。

参考文献

Akerlof, Andrew Rose, Janet Yellin, and Helga Hessenious. 1991. "East Germany in from the Cold: The Economic Aftermath of Currency Union." *Brookings Papers on Economic Activity* 1:1—87.

Becker, Gary. 1995. *The Myth of Democratic Failure: Why Political Institutions Are Efficient*. Chicago: University of Chicago Press.

Berman, Harold. 1963. *Justice in the USSR: An Interpretation of Soviet Law*. Cambridge, MA: Harvard University Press.

Carniero, Robert L. 1970. "A Theory of the Origin of the State." *Science* 169:733—738.

Chan, Steve. 1987. "Growth with Equity: A Test of Olson's Theory for the Asian Pacific-Rim Countries." *Journal of Peace Research* 24(2):135—149.

Choi, Kwang. 1983. *Theories of Economic Growth*. Ames, IA: Iowa State University Press.

Coase, Ronald. November 1937. "The Nature of the Firm." *Economica*, pp.386—405.

Coase, Ronald. October 1960. "The Problem of Social Cost." *Journal of Law and Economics* 3:1—44.

Clague, Christopher, Philip Keefer, Stephen Knack, and Mancur Olson. June 1996. "Property and Contract Rights in Autocracies and Democracies." *Journal of Economic Growth* 1(2):243—276.

Dahl, Robert A. 1971. *Polyarchy: Participation and Opposition*. New Haven, CT: Yale University Press.

DeLong, Bradford J., and Andrei Shleifer. October 1993. "Princes and Merchants: European City Growth Before the Industrial Revolution." *Journal of Law and Economics* 36(2):671—702.

DeSoto, Hernando. 1989. *The Other Path: The Invisible Revolution in the Third World*. New York: Harper & Row.

Dixit, Avinash. 1996. "The Making of Economic Policy: A Transaction-Cost Politics Perspective." In *Munich Lectures in Economics*. Cambridge and London: MIT Press, pp. xvii, 192.

Easterly, William, and Stanley Fischer. 1993. "The Soviet Economic Decline: Historical and Republican Data." Manuscript.

Economic Inquiry 33 (January 1994). "The Dark Side of the Force." Presidential Address to the Western Economics Association, pp. 1—10.

The Economist. August 14, 1993. "How to Start an Airline with $5,000." Business, Finance and Science. U.K. Editions, p.71.

Gaddy, Clifford G. "Pretending to Work and Pretending to Pay: A Hedonic Wage Approach to the Behavior of Soviet Workers and Managers." Brookings Institution working paper.

Gambetta, Diego. 1993. *The Sicilian Mafia*. Cambridge, MA: Harvard University Press.

Gardner, Bruce. May 1983. "Efficient Redistribution Through Commodity Markets." *American Journal of Agricultural Economics* 65(2):225—234.

Gatrell, Peter, and Mark Harrison. August 1993. "The Russian and Soviet Economies in Two Worlds Wars: A Comparative View." *Economic History Review* 46:425—452.

Greif, Avner. June 1994. "On the Political Foundations of the Late Medieval Commercial Revolution: Genoa During the Twelfth and Thirteenth Centuries." *Journal of Economic History* 54(2):271—287.

Grierson, P. J. H. 1903. *The Silent Trade*. Edinburgh: William Greene and Sons.

Hardin, Russell. 1982. *Collective Action*. Baltimore, MD: Johns Hopkins University Press.

Hart, Keith. March 1973. "Informal Income Opportunities and Urban Employment in Ghana." *Journal of Modern African Studies*.

Herodotus. 1987. *The History of Herodotus*. Translated by David Grene. Chicago: University of Chicago Press.

Hibbert, Christopher. 1989. *Venice: The Biography of a City*. New York and London: W.W. Norton & Company, p.49.

Hobhouse, L. T., G. C. Wheeler, and M. Ginsberg. 1965. *The Material Culture and Social Institutions of the Simpler Peoples*. London: Routledge and Kegan Paul.

Hough, Jerry, and Merle Fainsod. 1979. *How the Soviet Union Is Governed*. Cambridge, MA: Harvard University Press, pp.446—448.

International Studies Quarterly, vol. 27. Oxford: Blackwell Publishers, 1983.

Journal of Public Economics. December 1985. "Public Policies, Pressure Groups, and Dead Weight Costs," pp.329—347.

Kalduhn, Ibn. 1989. *The Muqaddimah, an Introduction to History*, translated by Franz Rosenthal. Princeton, NJ: Princeton University Press, pp.230—231.

Kroll, Heidi. July 1988. "The Role of Contracts in the Soviet Economy." *Soviet Studies* 40:349—366.

Krueger, Anne O. 1992. "Institutions of the New Private Sector." In Christopher Clague and Gordon Rausser(eds.), *The Emergence of Market Economies in Eastern Europe*. Oxford: Basil Blackwell, pp.219—223.

Lake, David. 1992. "Powerful Pacifists: Democratic States and War." *American Political Science Review* 86:24—37.

Lane, Jan-Erik, and Svante Ersson. 1990. *Comparative Political Economy*. London and New York: Pinter; distributed by Columbia University Press, New York, pp.viii, 296.

Lipton, David, and Jeffrey Sachs. 1992. "Prospects for Russia's Economic Reforms." *Brookings Papers on Economic Activity* 2:213.

Madison, James. 1983. *The Papers of James Madison*, Robert A. Rutland, Thomas A. Mason, Robert J. Brugger, Jeanne K. Sisson, and Fredrika J. Teute(eds.). Charlottesville: University of Virginia Press.

McGuire, Martin C., and Mancur Olson. March 1996. "The Economics of Autocracy and Majority Rule: The Invisible Hand and the Use of Force." *Journal of Economic Literature* 34:72.

McKinnon, Ronald I. 1992. "Taxation, Money, and Credit in a Liberalizing Socialist Economy." In Christopher Clague and Gordon Rausser(eds.), *The Emergence of Market Economies in Eastern Europe*. Cambridge, MA, and Oxford: Basil Blackwell, pp.109—127.

Montias, Michael. 1982. "Poland: Roots of Economic Crisis." *ACES Bulletin* 24:12—14.

Mueller, Dennis C., ed. 1983. *The Political Economy of Growth*. New Haven, Yale University Press.

Murrell, Peter, and Mancur Olson. 1991. "The Devolution of Centrally Planned Economies." *Journal of Comparative Economics* 15:239—265.

Nagy, Andras. 1992. "Institutions and the Transition to a Market Economy." In Christopher Clague and Gordon Rausser(eds.), *The Emergence of Market Economies in Eastern Europe*. Cambridge, MA, and Oxford: Basil Blackwell, pp.301—310.

Niskanen, William A. 1997. "Autocratic, Democratic and Optimal Government." *Economic Inquiry* 35:464—479.

North, Douglass C. 1990. A Transactions Cost Theory of Government. *Journal of Theoretical Politics* 2(4):355—367.

Olson, Mancur, Jr. 1965. *The Logic of Collective Action*. Cambridge, MA: Harvard University Press.

Olson, Mancur, Jr. 1967. "Some Historic Variation in Property Institutions." Princeton University. Mimeo.

Olson, Mancur, Jr. 1982. *The Rise and Decline of Nations*. New Haven and London: Yale University Press.

Olson, Mancur, Jr. 1986. "Why Some Welfare-State Redistribution to the Poor Is a Great Idea." In Charles K. Rowley(ed.), *Public Choice and Liberty: Essays in Honor of Gordon Tullock*. Oxford: Basil Blackwell.

Olson, Mancur, Jr. 1990. *How Bright Are the Northern Lights? Some Questions About Sweden*. Lund, Sweden: Institute of Economic Research, Lund University Press.

Olson, Mancur, Jr. Spring 1996. "Big Bills Left on the Sidewalk: Why Some

Countries Are Rich and Others Poor." *Journal of Economic Perspectives* (*U.S.*) 10:3—24.

Olson, Mancur, Jr., and Richard Zeckhauser. June 1970. "The Efficient Production of External Economies." *American Economic Review* 60(3): 512—517.

Perlez, Jane. June 20, 1993. "Poland's New Entrepreneurs Push the Economy Ahead." *New York Times*.

Pigou, A.C. *The Economics of Welfare*, 4th ed. London: Macmillan, 1946.

Quarterly Journal of Economics. May 1991. "A Theory of Competition Among Pressure Groups for Political Influence," pp.407—443.

Quirk, Robert E. 1993. *Fidel Castro*. New York: Norton. p.625.

Rauch, Jonathan. 1994. *Demosclerosis*. New York: Time Books.

Sandler, Todd. 1992. *Collective Action: Theory and Appications*. Ann Arbor: University of Michigan Press.

Scandinavian Political Studies, vol.9. Oxford: Blackwell Publishers. March 1986.

Schelling, Thomas. 1966. *Arms and Influence*. New Haven, CT: Yale University Press, p.v.

Schumpeter, Joseph. 1976. *Capitalism, Socialism and Democracy*, 4th ed. London: Allen and Unwin.

Schumpeter, Joseph A. 1991. "The Crisis of the Tax State." In Richard Swedberg(ed.), *The Economics and Sociology of Capitalism*. Princeton, NJ: Princeton University Press, pp.99—140.

Sheridan, James E. 1966. *Chinese Warlord: The Career of Feng Yuhsiang*. Stanford: Stanford University Press.

Stigler, George J. 1971. "The Theory of Economic Regulation." *Bell Journal of Economics and Management Science* 2:3—21.

Stigler, George J. 1992. "Law or Economics?" *Journal of Law and Economics* 35(2):455—468.

Szalai, Erzsebet. 1991. "Integration of Special Interests into the Hungarian Economy." *Journal of Comparative Economics* 15:284—303.

Thompson, Earl, and Roger Faith. 1981. "A Pure Theory of Strategic Behavior and Social Institutions." *American Economic Review* 71(3):366—380.

Vanhanen, Tatu. 1989. "The Level of Democratization Related to Socioeconomic Variables in 147 States in 1980—85." *Scandinavian Political Studies* 12

(2):95—127.

Vedder, Richard, and Lowell Galloway. 1986. "Rentseeking, Distributional Coalitions, Taxes, Relative Prices, and Economic Growth." *Public Choice* 51(1):93—100.

Weede, Erich. 1986. "Catch-Up, Distributional Coalitions and Government as Determinants of Growth and Decline in Industrial Democracies." *British Journal of Sociology* 37:194—220.

Williamson, Oliver. 1985. *The Economic Institutions of Capitalism*. New York: The Free Press.

Winiecki, Jan. 1990. "Why Economic Reforms Fail in the Soviet System." *Economic Inquiry* 28:195—221.

Wittman, Donald. 1989. "Why Democracies Produce Efficient Results." *Journal of Political Economy* 97(6):1395—1424.

译后记

读奥尔森的著作，总是让人心潮澎湃。他是少有的将冷静的学理分析与高昂的学术激情结合在一起著述的学者之一。十几年前我在读《集体行动的逻辑》的时候，就为他严密的逻辑推理与细致的论证所折服。这本书对我博士论文的写作影响很大。后来又先后读过他的《国家的兴衰》以及发表在政治学刊物上的一些文章，对其进行的研究主题一直很感兴趣。所以，尽管我不是专事政治经济学研究，但是当范蔚文兄转给我奥尔森的《权力与繁荣》，问我是否有意将其译成中文时，我还是很高兴地接受了这一任务。

本书正标题是“权力与繁荣”，副标题是 outgrowing communist and capitalist dictatorships，意为“成长过度的共产主义与资本主义专制”，考虑种种原因，出版时省去了这个副标题。本书有两个比较重要的概念，分别是 encompassing interest 和 market-augmenting government，前者有“无所不包的利益”、“广泛的利益”的含义，后者具有“加强市场”、“补充市场”的意思。感谢张宇燕教授提醒我注意这两个词在经济学界的标准译法，所以我们统一译为“共容利益”与“强化市场型政府”。

本书第六章到第十章是由嵇飞翻译的。感谢他帮助我处理后面章节中一些经济学概念问题。译完后我对全书做了统校。译文中如有不当的地方，还请大家批评指正，我的电子信箱是 suchh@hotmail.com。

苏长和

2005 年 2 月于复旦大学国际政治系

图书在版编目（CIP）数据

权力与繁荣/(美)曼瑟·奥尔森(Mancur Olson)
著;苏长和,嵇飞译.—上海：上海人民出版社，
2016
(世纪中国论坛典藏文库)
书名原文：Power and Prosperity
ISBN 978-7-208-13991-6

Ⅰ.①权… Ⅱ.①曼… ②苏… ③嵇… Ⅲ.①新制度
经济学—研究②行政干预—市场经济—研究
Ⅳ.①F091.349②F20

中国版本图书馆 CIP 数据核字(2016)第 174101 号

责任编辑 潘丹榕
封面装帧 陈 楠

·世纪中国论坛典藏文库·
权力与繁荣
［美］曼瑟·奥尔森 著
苏长和 嵇 飞 译
世纪出版集团
上海人民出版社出版
(200001 上海福建中路 193 号 www.ewen.co)
世纪出版集团发行中心发行
上海中华印刷有限公司印刷
开本 720×1000 1/16 印张 12.75 插页 4 字数 167,000
2016 年 8 月第 1 版 2016 年 8 月第 1 次印刷
ISBN 978-7-208-13991-6/F·2395
定价 46.00 元